TE GAST IN **Guatem**

Samenstelling en redactie
Maja Haanskorf

Uitgeverij Informatie Verre Reizen

Colofon

Uitgave
Informatie Verre Reizen VOF
Postbus 1504, 6501 MB Nijmegen
Tel. 024-355 25 34, fax 024-355 24 73
e-mail: info@tegastin.nl, website: www.tegastin.nl

Deze uitgave kwam tot stand met medewerking van SNV Honduras en Cordaid

Samenstelling en redactie, Maja Haanskorf
Eindredactie, Kees van Teeffelen
Foto-omslag, Mirjam van den Berg
Vormgeving, Mike van de Mortel
Druk, 1e druk, januari 2008

ISBN 978-90-76888-74-3

Andere uitgaven 'TE GAST IN':
Indonesië • Thailand • Vietnam • Laos • China • Tibet • Mongolië • India • Nepal •
Sri Lanka • Turkije • Marokko • Egypte • Jemen • Jordanië • Ghana • Kenia •
Tanzania • Zuid-Afrika • Namibië • Nicaragua • Cuba • Suriname • Brazilië • Ecuador •
Peru • Bolivia • Argentinië • Rusland • Baltische landen • Georgië/Armenië •
Australië • Nieuw-Zeeland

Inhoud

Logeren bij Don Domingo   5
Mirjam van den Berg

Welkom in de Mayawereld   12
Maja Haanskorf

Mayavrouwen ontwikkelen eigen Spa-lijn   19
Mirjam van den Berg

Nat pak op Onafhankelijkheidsdag   26
Mirjam van den Berg

Race tegen de klok   28
Patrick Vercoutere

Twijfels van een vrijwilliger   33
Eefje Ludwig

Ode aan de doden   40
Maja Haanskorf

Wroeten in het binnenste van de aarde   46
Mirjam van den Berg

Op zoek naar de Garífuna's   48
Maja Haanskorf

'In San Pedro werken ze'   58
Jantien Bult

De Maya's zijn 'in'   63
Carin Steen

De schoenpoetsers van Parque Central   68
Ramon Mendoza

Toerisme in eigen beheer   70
Maja Haanskorf

Reisinformatie   79
Woordenlijst   94
Verdere informatie   96

Jongste dochter Clara past op de schapen

Mirjam van den Berg

Logeren bij Don Domingo

Steeds meer inwoners van Guatemala ontdekken het toerisme als nieuwe bron van inkomsten. Zoals schapenboer Ramos Carrillo in Chiabal, een gehucht van 1100 zielen. Hij heet toeristen van harte welkom in zijn fraaie gastenverblijf. Wie de tocht naar deze hooggelegen westhoek van Guatemala onderneemt, staat een onvergetelijke ervaring te wachten in een authentiek Mayadorp.

"Welkom, welkom." Ik ben amper op het erf van Don Domingo in het dorpje Chiabal aangekomen of zijn zesjarige zoontje Raúl springt al enthousiast om me heen, op de voet gevolgd door Clara van acht en twee puppies. De jongste telg uit het gezin Ramos is overduidelijk blij met het buitenlandse bezoek. Voor het huis staan Domingo Ramos Carrillo en zijn vrouw Juana me op te wachten. Hij draagt een traditionele roodgestreepte broek en strooien hoedje met blauwe band, zij een ingewikkeld bewerkte *huipil*, de traditionele blouse. Allemaal zelfgemaakt, vertelt Juana later in een mengeling van de lokale taal Mam en gebrekkig Spaans.

Het gastenverblijf van de familie Ramos overtreft mijn stoutste verwachtingen. Een betonnen vloer, muren van stucwerk, drie boxspringbedden en zelfs elektriciteit. In de zomer van 2006 legde Don Domingo samen met Nederlandse vrijwilligers de eerste steen. Sindsdien zijn er regelmatig toeristen blijven slapen. IJverig laat hij alvast zien hoe de gordijntjes dichtgaan en waar de extra dekens liggen. Zijn vrouw Juana kijkt nog eens of de vloer wel schoon genoeg is.

Een vrouwtjeslama is de trots van het gezin

Nog voor het middageten maak ik kennis met de trots van het gezin: een vrouwtjeslama die me vanonder haar lange wimpers geen seconde uit het oog verliest. Sinds kort heeft Chiabal ook de beschikking over een mannetjeslama. Die moet presteren, want hoe meer lama's, hoe meer wol waar het dorp iets mee kan verdienen. De rest van Don Domingo's broodwinning bestaat uit dertien eigenwijze schapen die vanachter het huis opeens het erf over denderen, op weg naar een kleine weide waar ze twee keer per dag mogen grazen. Clara gaat me voor, de lama aan een touwtje met zich meevoerend. Het is woensdagochtend, moet ze niet naar school? "Volgend jaar pas." Maar wat doet ze dan de hele dag? "Op de schapen passen, met Raúl spelen en mama helpen, best leuk", roept ze, terwijl ze met een stokje een weggelopen schaap naar de groep dirigeert.

Schaapjes op het droge

Schapen en aardappelen, daar draait Chiabal op. Het dorp ligt op 3240 meter hoogte in het gebergte de Cuchumatanes in het westen van Guatemala. Vanaf Huehuetenango is het anderhalf uur rijden in noordwestelijke richting. Na een uur gaat de verharde weg over in een zandpad. Het is er te hoog en 's zomers te droog om maïs te verbouwen. In 1996 verenigden wat schapenboeren zich in de Cooperativa Unión Cuchumateca. Tien jaar later hebben dertig vrouwen en 46 mannen uit Chiabal zich aangesloten bij deze coöperatie. Ze maken streekspecialiteiten van schapenvlees. Don Domingo is penningmeester. De marktprijs voor gewoon schapenvlees is laag, vertelt hij. "We proberen ons daarom te onderscheiden door kwaliteit te leveren. Ons vlees is 100 procent biologisch en cholesterolvrij. De *embutidos*, worstjes, uit de Cuchumatanes beginnen langzaam naamsbekendheid te krijgen, maar heel veel verdienen we er nog niet mee."

In het kantoortje van de coöperatie haalt de Chileen William Orellana vier verpakkingen worstjes en koteletjes uit de vriezer. De dierenarts en econoom is uitgezonden om de boeren van de coöperatie wat ondernemingszin bij te brengen. "In het hele berggebied zijn zo'n tweehonderdduizend schapen. De meeste boeren brengen hun dieren pas naar de slacht als ze geld nodig hebben. Die beesten zijn soms al vijf jaar oud, smaken naar niks en hebben de boer behoorlijk wat gekost in het onderhoud. Daar verdient een gezin niets mee. Via de coöperatie proberen we boeren ervan te overtuigen dat ze hun schapen moeten laten slachten wanneer de dieren een jaar zijn. Met een beetje geluk krijgen ze dan dertig euro per dier. Een gemiddeld schaap levert toch al snel zestien kilo worst, koteletjes, vlees en ingewanden op.

Allemaal eetbaar, tot aan de schapenkop toe. De winst komt via de coöperatie weer bij de boeren terecht. Het enige dat we niet doen, is het vlees verwerken in veevoeder. Europese toestanden als de gekkekoeienziekte kunnen we hier missen als kiespijn."

Beestenbende

Hoe zit het met Don Domingo's eigen schapen? "Die zijn wel ouder dan een jaar. Aan de coöperatie kan ik ze niet meer verkopen, hoewel ik vind dat ook de oudere beesten nog prima smaken. Ik houd ze voor mezelf. Hebben we honger, dan slachten we een schaap. We leven grotendeels van wat we zelf verbouwen. Producten als maïs, bonen en suiker kopen we op de markt in Todos Santos, een groter dorp verderop." De lunch is dan ook met recht een *plato típico*: aardappels, schapenworstjes, tomatensaus, radijs en wat kaas, vergezeld van, hoe kan het ook anders, een mandje tortilla's. Misschien geen culinair hoog-standje, maar wel met liefde door Juana bereid.

Het gezin van Don Domingo

Na de lunch maak ik kennis met de rest van het gezin: Fran-cisco van dertien, de twee jaar jongere Nicolasa en María van tien. Alleen de oudste dochter Santa ontbreekt. Ze zit in het stadje Chiantla op de middelbare school en blijft daar ook slapen. In Chiabal woont de familie Ramos, net als de meeste van hun buren, in een L-vormig eenkamerhuisje

Huis van *adobe*

van *adobe*, een mengeling van aarde, stro en water. Ook de
vloer is van aarde. Het dak bestaat uit houten balken en golf-
plaat. In een hoek staat een houtoven, die tegelijkertijd dienst
doet als verwarming en lichtbron. Er hangt een peertje aan het
plafond dat net genoeg licht geeft om de kleine eettafel te ver-
lichten. Langs de muren staan drie bedden, formaat twijfelaar.
Daar slapen ze met hun zevenen in. Overdag nemen de kippen
en kalkoen bezit van de bedden. Vijf witte duiven fladderen
vrolijk in het rond en de kat bedelt voor het vuur om een stukje
worst. De enige die niet naar binnen mogen zijn de honden.
Vergeleken hierbij is het gastenverblijf wel erg luxe. Toch
gebruikt het gezin de extra ruimte niet zelf als er geen toeristen
zijn. "Dat is een van de regels van het toerismeproject", vertelt
Don Domingo.

Sms'je in de bergen

Het project om toeristen te laten overnachten bij een Maya-gezin, is in 2005 gestart. Het is een initiatief van Asocuch, een overkoepelende organisatie van coöperaties in de Cuchuma-tanes. Deze ontplooit nieuwe activiteiten zodat gezinnen in dit gebied hun schaarse inkomen uit landbouw en veeteelt wat aan kunnen vullen. Asocuch staat hen bij met advies en praktische hulp, zoals het regelen van vrijwilligers en toeristen. Asocuch ontvangt op haar beurt weer steun van het Nederlands-Guate-malteekse ontwikkelingsproject Procuch. De leden van de coöperatie in Chiabal droegen Ramos voor om als eerste mee te doen. In februari 2006 was zijn huisje gebruiksklaar. Acht maan-den later kreeg collega-schapenboer Crispin ook een gastenver-blijf en in 2007 volgde een derde onderkomen op het erf van de familie Guadeloupe. Een overnachting, inclusief drie maaltijden, kost de toerist twaalf euro. In een jaar mocht Chiabal slechts drie 'groepen' toeristen verwelkomen, in totaal zo'n twintig mensen. Niet veel, vindt ook Don Domingo.

Volgens Glendy Vásquez van Asocuch is het gebrek aan animo voor een groot deel te wijten aan de ligging van Chiabal. "Veel toeristen maken het geijkte rondje Antigua-Meer van Atitlán-Tikal. Dan liggen Huehuetenango en Chiabal behoorlijk uit de route, terwijl kleinschalig toerisme hier de mensen juist enorm zou helpen. Twee derde van de bevolking balanceert op het randje van armoede." Is het project dan een verkapte vorm van liefda-digheid? Vásquez meent van niet: "Natuurlijk is het extra geld zeer welkom, maar voor de toerist is dit een uitgelezen kans om eens buiten de gebaande paden te treden en een andere kant van Guatemala te leren kennen. Hoe vaak ontbijt je nu bij een Mayagezin?"

Don Domingo in gesprek

Ondanks de nadruk op het authentieke karakter van het dorp is Chiabal niet helemaal blijven steken in de tijd. Tijdens een wandeling in de bergen komt er een vreemd gebliep uit Don Domingo's borstzak. Even later is hij druk verwikkeld in een telefoongesprek. Voor we verder lopen stuurt hij nog een sms'je na. Hij droomt van internet thuis, of toch op zijn minst in het kantoor van de coöperatie. "Maar dan wel iets waar een beetje snelheid achter zit. Hoe moet je anders foto's downloaden?"

Maja Haanskorf

Welkom in de Mayawereld

Guatemala is het centrum van Mundo Maya, de wereld van de Maya's. Ooit bloeide hier de Mayacultuur, met Tikal als het bekendste centrum. Tegenwoordig bestaat meer dan de helft van de Guatemalteken uit afstammelingen van de Maya's. Discriminatie en uitsluiting zijn hun deel.

Een mooie stad is het niet, de hoofdstad van Guatemala. Ronkende bussen trekken met hun uitlaatgassen een stinkend spoor door de straten. Om de haverklap word je opgeschrikt door een laag overkomend vliegtuig. De luchthaven ligt vlakbij de stad. Die heeft trouwens een opknapbeurt gehad, merk ik bij aankomst. De regering heeft blijkbaar besloten dat de entree tot het land een moderner jasje moet krijgen. Overal hangen kleurige posters van *indígenas*, de inheemse bevolking die ruim de helft van alle Guatemalteken uitmaakt. Er staan vooral vrolijk lachende vrouwen op, die gekleed gaan in kleurrijke rokken en *huipiles*, rijk geborduurde blouses. *'Bienvenido en el Mundo Maya'*, lees ik, welkom in de Mayawereld.
In Guatemala-Stad is er weinig van deze wereld te vinden.
In Zona 1, het oude centrum, zie ik wel Mayavrouwen, vaak vergezeld van een paar kleine kinderen, bedelen op straat of ze verkopen wat frutsels. In de Zona Viva, het uitgaanscentrum van de stad, zie je ze hooguit als kindermeisje achter hun *ladino* mevrouw lopen. Met de term ladino worden de niet-inheemse Guatemalteken aangeduid, die van gemengd Spaans en indiaans bloed zijn.

arque Central met het Nationale Paleis   Foto: Maja Haanskorf   Foto: Mirjam van den Berg

Merkkleding

Toch ga ik altijd naar 'Guate'. Hier proef ik het 'gewone' leven,
ver weg van de toeristische opsmuk. Ik logeer er steevast in
Zona 1, ook al menen de meeste stadsbewoners dat je daar beter
weg kunt blijven. In het vliegtuig had mijn buurvrouw me al
gewaarschuwd: "Niet met de bus gaan, altijd een taxi nemen."
Zona 1 zag ze als een *no go area*. Voor de zekerheid gaf ze me
haar kaartje, voor als ik hulp nodig had. Ze woonde in een fraaie
buitenwijk van de stad, die met een hek is afgeschermd van
de boze buitenwereld. Met haar man, dochter en neefje was ze
wezen winkelen in Miami. "Er is daar veel meer keus", vertelde
ze, "en helemaal niet duur." Tassen vol merkkleding en luxe
etenswaren had ze ingeslagen.
Ze hoort tot de beter gesitueerde ladinos, die je in Zona 10,
de uitgaans- en zakenwijk, tegenkomt. Daar winkelen ze in
de *shopping malls*, eten in Italiaanse restaurants en drinken
hun espresso in een trendy café. Mannen, gekleed in scherp
gesneden kostuums, stappen uit geblindeerde auto's met een
attachékoffertje in de hand. Zelf zit ik graag bij Sophos, de
boekhandel annex café, waar je in een weldadige rust door
boeken kunt bladeren en van je koffie genieten.

Harde hand

Maar dan keer ik weer terug naar mijn stek in het oude centrum, met de bus. Daar brengen straatverkopers hun waar aan de man, staat op iedere straathoek wel een lotenverkoper of krantenjongen, en koop je bij een karretje een *perro caliente*, een hotdog, met een dot *guacamole*. 's Avonds na negenen is er nauwelijks meer iemand op straat. "Te gevaarlijk", oordeelt de portier van mijn hotel. Ik mag nog net naar een winkeltje op de hoek, dat een blok verder ligt. Vanachter zijn getraliede verkooppluik overhandigt de eigenaar me een blikje bier en een zakje chips. Snel rep ik me terug naar het hotel. Want het is waar, het geweld en de berovingen zijn toegenomen. Niet voor niets heeft iedere Guatemalteek het over de onveiligheid. Tijdens de verkiezingen in het najaar van 2007 stond het thema bovenaan de agenda van alle presidentskandidaten. De een na de ander beloofde de Guatemalteek een veilige toekomst. *Mano dura*, een harde hand, dat beloofde Otto Pérez Molina, de militair die de populistische Patriottische Partij aanvoert. Tijdens de burgeroorlog die het land tot 1996 ruim dertig jaar teisterde, zou hij medeverantwoordelijk zijn geweest voor de genocide, die vooral onder de Mayabevolking heeft plaatsgevonden. Op het nippertje verloor hij van Álvaro Colom van de centrumlinkse partij UNE, de Nationale Eenheid van Hoop. Colom wil de strijd aanbinden met de schrijnende armoede in het land, want die is volgens hem de oorzaak van het geweld.

Inheems verzet

"In dit land zijn geen politici, alleen zakkenvullers", vat de krantenverkoper om de hoek van mijn hotel de gevoelens van de meeste mensen samen. In de politiek heeft niemand meer vertrouwen. Zelfs voor Rigoberta Menchú, de Mayavrouw die in 1992 de Nobelprijs voor de Vrede won en in 2007 meedeed aan de presidentsverkiezingen, liep niet meer dan 3 procent van de bevolking warm.

"De mensen zijn murw geslagen", zegt Martha Godínez van Sector de Mujeres, een organisatie die de positie van vrouwen in het land wil verbeteren. Zelf is ze een strijdbare Maya die de moed niet opgeeft. Ook al is er van de afspraken in de Vredesakkoorden niet veel terechtgekomen. De straffeloosheid is niet beëindigd en met de opbouw van een rechtsstaat en democratie is het droevig gesteld. Nog steeds lopen daders van het gruwelijke geweld in de burgeroorlog, waarbij tweehonderdduizend slachtoffers vielen, vrij rond. Niet zelden bekleden ze hoge posities in politiek en leger. "Veranderingen hebben tijd nodig", meent Godínez . "Sociale bewegingen zijn ernstig verzwakt, mensen zijn bang zich te organiseren. Maar je ziet dat de protesten tegen de negatieve gevolgen van de globalisering toenemen. In het departement San Marcos verzetten inheemse bewoners zich tegen de exploitatie van de Marlin goudmijn. De dagmijnbouw tast het milieu en de gezondheid van de mensen aan. Bovendien strijkt het Canadese mijnbouwbedrijf Montana 99 procent van de winst op. In de regio Petén groeit het verzet tegen hydro-elektrische projecten die het regenwoud aantasten."

Romantisch

Als ik in Antigua kom, de vroegere koloniale hoofdstad, waan ik me na de rauwe realiteit van Guatemala-Stad even in een openluchtmuseum. De straten met hun hobbelkeien, de in pasteltinten geschilderde huizen, de roze en rode bloemen van de hibiscus die overdadig langs muren groeien, de feeërieke straatverlichting en natuurlijk de contouren van de vulkanen die boven de stad uittorenen. Romantischer kun je het niet hebben. Hier zijn de toeristen en hier zijn ook de lachende en vrolijke Maya's. Ze serveren het eten in een *restaurante típico*, schenken drankjes in een bar op een koloniale patio of ze werken in de boekhandels waar prachtige fotoboeken over de Maya's te koop zijn. Zelfs de Maya's die op het Parque Central, het mooiste plein van Midden-Amerika, hun *artesanía* aan toeristen proberen te slijten, zien er elegant uit. Toch, als je goed oplet, zie je barstjes in deze façade. Dan merk je dat een vrouw van pure vermoeidheid boven haar geweven armbandjes en ceintuurs in slaap dreigt te vallen. Of je ziet dat een kindje tevergeefs om eten huilt. Ook valt het je ineens op dat er meer verkopers zijn dan toeristen.

Maquilas

"Het toerisme is teruggelopen", vertelt Andrés, de uitbater van het eenvoudige pension waar ik verblijf. Ik kom hier al jaren en ken de hele familie. Het helpt dat de ouders van Andrés buiten

Mayavrouwen met hun *artesanía*   Foto: Maja Haanskorf

De pasteltinten van Antigua · Foto: Mirjam van den Berg

Antigua een stukje land hebben. Daar verbouwen ze hun eigen
groenten en natuurlijk maïs. "Ik zou het hier willen opknappen",
verzucht Andrés, "maar dat lukt niet." Wel heeft hij een aantal
kamers van een eigen douche voorzien, want "dat willen toeristen", weet hij.

Ook Pascual van het reisbureautje verderop in de straat, merkt
dat de klandizie is afgenomen. "Er komen minder buitenlanders",
vertelt hij. "Vooral Amerikanen blijven na 9/11 thuis." Hij heeft
zijn hoop gevestigd op de zomermaanden, wanneer de Europe-
anen vakantie hebben.

Niet alleen in het toerisme, maar in alle sectoren hebben kleine
bedrijfjes het moeilijk. Het is lastig concurreren, nu door het
vrijhandelsverdrag tussen Midden-Amerika en de Verenigde
Staten goedkoop voedsel en goedkope producten het land
binnenkomen. "Veel mensen, in meerderheid vrouwen, werken
daarom in de *maquilas*", zegt Viviana Patal. Ik ontmoet haar in
Antigua, waar ze een paar dagen geniet van de rust. Ze werkt bij
een mensenrechtenorganisatie in de hoofdstad en doet onder-
zoek naar deze assemblagebedrijven.

Intimidatie

"De maquilas zorgen voor werkgelegenheid, maar de arbeids-
omstandigheden zijn slecht. Zeker een derde houdt zich niet
aan de wet. En de overheid controleert niet", vertelt Patal.
"De meeste eigenaren zijn buitenlanders, vooral Koreanen.
Die hoeven de eerste tien jaar geen belasting te betalen. Voor
die om zijn, is het bedrijf ineens verdwenen. Dan start de
eigenaar elders een nieuwe maquila." De werknemers hebben
weinig keus. De werkloosheid en armoede in het land zijn groot.
"De grote ondernemers zijn er niet in geïnteresseerd Guatemala
tot ontwikkeling te brengen", zegt Patal. "Die investeren liever
in het buitenland." En dus kun je in Chimaltenango, een plaats
op een uur bussen van de hoofdstad, rijen inheemse vrouwen
de fabrieken in zien trekken. Als ze zwanger zijn, wacht meestal
ontslag. Wie het over rechten heeft, kan vertrekken. Als ik bij de
toegang tot een bedrijf een praatje wil aanknopen met een paar
vrouwen, krijg ik nauwelijks antwoord. Ze kijken me wat schichtig
aan en lopen snel door. Dat doe ik zelf ook maar, wanneer ik merk
dat een paar potige bewakers mijn kant op komt. Had Patal niet
verteld dat eigenaren leden van *maras*, jeugdbendes, in dienst
nemen om de vrouwelijke werknemers te intimideren? Zodat ze
het wel uit hun hoofd laten om hun werkgever aan te klagen.

Vrolijk word je er niet van. De problemen in het land lijken haast
onoplosbaar te zijn. Maar dan denk ik aan Catalina en José, die
met hun organisatie Trópico Verde de bossen van de Petén willen
beschermen en kleinschalig toerisme bevorderen. Of Julio, die op
het kantoor van de Ombudsman werkt en mij verhalen vertelt over
zijn Quiché-familie: "Heus, wij Maya's laten steeds meer van ons
horen. We zijn niet voor niets de helft van de bevolking."

Mirjam van den Berg

Mayavrouwen ontwikkelen eigen Spa-lijn

In de Guatemalteekse provincie Totonicapán zijn Mayavrouwen de drijvende kracht achter een lijn natuurlijke verzorgingsproducten die op het punt staat internationaal door te breken. Door het succes van de shampoo en voetenspray is het inkomen van sommige gezinnen vervijfvoudigd. Maïs is uit, kamille is in.

Honderd euro. Dat hield Soledad Pérez López Menchú per jaar over aan haar twee tomatenoogsten. Nauwelijks genoeg om van rond te komen met haar gezin, dat bestaat uit een echtgenoot, zeven kinderen en een inwonende schoonmoeder. Zelfs met het extra geld dat haar man met klusjes in de bouw verdiende en de bijdrage van de oudste, al werkende kinderen bleef het passen en meten. Totdat iemand van een lokale ontwikkelings-organisatie haar man aansprak: of Soledad geen kamille wilde verbouwen. Dat kon al na drie maanden geoogst worden en zou het gezin per keer bijna honderdvijftig euro opleveren. "Ik dacht, waarom ook niet. Het groeit sneller en verdient meer dan tomaten of maïs. Volgende week kan ik beginnen met oogsten", glundert Soledad temidden van een zee kleine witte bloempjes achter haar huis.

Soledad tussen de kamille
Foto's: Mirjam van den Berg

Verbouw van planten en kruiden

Het gezin van Soledad Pérez is een van de twintig families in de gemeente Chipuac die kamille verbouwen. Het is een dorp, zoals je er veel ziet in de provincie Totonicapán. Vrijwel alle inwoners zijn K'iche'-Maya's, bijna 86 procent van hen leeft in armoede. Gezinnen zijn voor hun inkomsten afhankelijk van de landbouw, maar de akkers zijn klein. Dat komt vooral doordat de *indígenas*, de inheemse bevolking, hun land onrechtmatig kwijtraakten aan grootgrondbezitters of de staat. Ook de traditie speelt een rol. Die bepaalt dat de grond van een gezin, hoe klein het bezit ook is, verdeeld moet worden onder alle kinderen. Met zes of zeven kinderen per gezin blijft er op den duur weinig grond meer over.

Boeren dachten de oplossing gevonden te hebben door delen van het bos van Totonicapán te kappen om akkers aan te leggen. Ieder jaar ging zo 2 procent van het bos verloren. Inheemse planten- en diersoorten verdwenen, het grondwater zakte en raakte vervuild.

Veel extra grond leverde het de K'iche' niet eens op, zodat er aan hun levensomstandigheden weinig veranderde. Gezondheidszorg is voor velen nog steeds onbetaalbaar, áls die er al is in de betreffende gemeente. Een op de drie kinderen heeft nog nooit een school van binnen gezien. Mannen trekken naar de Verenigde Staten om werk te zoeken. Vrouwen hebben, zoals in nagenoeg heel Guatemala, weinig in te brengen. De K'iche'-vrouwen spreken ook nog eens gebrekkig Spaans, wat hen in een nadelige positie brengt. Beheersing van deze taal is een eerste vereiste om buiten de grenzen van de boerengemeenschap een beter bestaan op te bouwen.

Kamille

Toch was het juist een vrouw die besloot in deze situatie verandering te brengen. Lesbia Taló Batz, 28 jaar, doet qua visie en daadkracht niet onder voor westerse leeftijdsgenoten in beursgenoteerde ondernemingen, ook al draagt ze traditionele Mayakleding. In 2002 richtte ze het bedrijfje Mabeli op. "Mabeli is ontstaan als project van de lokale ontwikkelingshulporganisatie Cooperación para el Desarrollo Rural de Occidente (CDRO). Ik was daar verantwoordelijk voor projecten die de positie van vrouwen moesten verbeteren. CDRO wilde voor haar inkomsten niet alleen afhankelijk zijn van buitenlandse donoren en zocht een manier om voor een deel zelf projecten te kunnen financieren. We vroegen gezinnen uit verschillende gemeenschappen of ze bij wijze van test in plaats van traditionele gewassen, planten en kruiden wilden verbouwen. Mabeli maakte daar infusies, vloeibare extracten, van en verkocht die aan de farmaceutische en cosmetische industrie. Veel mannen stonden sceptisch tegenover ons voorstel. Vrouwen waren wél bereid om iets anders te proberen en gingen met kamille, aloë vera en munt aan de slag. Helemaal vreemd was dit trouwens niet, want deze planten worden al van oudsher door de K'iche' gebruikt."

Shampoo

Begin 2005 moest Taló de toekomst van Mabeli uitstippelen. Ze had de keuze tussen een bescheiden omzet blijven draaien met de infusies, of in het diepe springen en een eigen productielijn ontwikkelen die winstgevender zou kunnen zijn. Ze koos voor het laatste. Bloed, zweet en tranen heeft het haar gekost, lacht Taló als ze terugdenkt aan de weg die ze met Mabeli heeft afgelegd. "We wisten hoe we infusies moesten maken, maar daar was eigenlijk alles mee gezegd. Eerst wilden we homeopathische geneesmiddelen maken, maar al snel bleek dat dit plan veel te hoog gegrepen was. Toen zijn we overgestapt op verzorgingsproducten. Ook dat viel in het begin vies tegen. We moesten de landbouwproductie in de gemeenschappen op orde krijgen en leren hoe we in plaats van infusies sterkere extracten konden winnen uit de planten. En toen moesten we ook nog uit zien te vinden hoe je een fatsoenlijke shampoo maakt."

Die shampoo kwam er uiteindelijk wel, maar winstgevend was het allerminst. Taló: "We slaagden er niet in om zoveel te verkopen, dat het voor ons rendabel was. Het werd tijd voor iets nieuws. We kwamen in contact met de van oorsprong Duitse multinational Henkel. Zij beschikten over het basismateriaal voor de verzorgingsproducten, wij hadden de extracten. Voor hen was het interessant om met ons in zee te gaan omdat dat blijk zou geven van hun maatschappelijke verantwoordelijkheid. Wij leerden hoe we goede producten konden maken en die slim in de markt konden zetten."

Eerlijk delen

Mabeli voorzag zich van een heus laboratorium in de bossen van Totonicapán en registreerde zich als naamloze vennootschap.

Consumentenonderzoek wees uit waar de klant behoefte aan had. Langzaam maar zeker verrees een complete productielijn van luxe verzorgingsproducten. Het hele proces, van grondstof tot distributie, is in handen van K'iche'-gemeenschappen. Inmiddels zijn er 175 mensen bij betrokken. Driekwart van de werknemers is vrouw en allemaal zijn ze aandeelhouder van Mabeli. De helft van de winst die Mabeli boekt gaat naar de projecten van CDRO, de andere helft is voor de aandeelhouders. Een van hen is Pascuala Ana Vásquez. Ze verbouwt kamille en werkt daarnaast voor Mabeli, waar ze de planten en kruiden droogt. Voorbij zijn de tijden dat ze negen maanden per jaar met maïs bezig was en daar krap veertig euro mee verdiende. Van een enkele kamilleoogst heeft ze haar gezin acht maanden kunnen onderhouden, vertelt ze trots. "Mijn man is gehandicapt en kan niet werken. Ik ben verantwoordelijk voor hem en onze vier kinderen. We eten nu af en toe zelfs vlees en kunnen een klein beetje sparen."

Lesbia Taló presenteert Natural Es

In de Hiper Pais in de hoofdstad

Uitbreiding

Het aantal gemeenschappen dat planten en kruiden verbouwt
voor Mabeli is inmiddels gestegen tot zestien. Taló heeft grootse
plannen voor de toekomst. In oktober 2006 presenteerde ze
Mabeli's Spa-lijn Natural Es in twee vestigingen van supermarkt-
gigant Hiper Pais in Guatemala-Stad. Een eigen display voor
de producten, folders en zelfs testers voor de nieuwsgierige
potentiële klant; aan alles was gedacht. Net als Henkel liet ook
Hiper Pais, onderdeel van het Amerikaanse Wal-Mart, zich van
zijn maatschappelijk verantwoorde kant zien. Mabeli kreeg de
gelegenheid haar Spa-lijn kosteloos te introduceren binnen het

vaste assortiment. In 2007 waren de producten verkrijgbaar in vierhonderd supermarkten in Centraal-Amerika. Van scrubcrème tot voetenspray, de latina die wil tutten kan voor alles bij Natural Es terecht.

Prijskaartje

De kamille die Soledad Pérez in Chiupac verbouwt, wordt ver- werkt in de *shampoo purificante* van Natural Es. Toch blijft een flesje shampoo van vier euro voor haar praktisch onbetaalbaar, ondanks haar gestegen inkomsten. Om van de lichaamspakking à dertien euro per potje nog maar te zwijgen. Is het niet wat cru om de producten dusdanig in de markt te plaatsen dat degenen die ze produceren ze onmogelijk kunnen betalen? Taló vindt van niet. "Volgens mij is het belangrijker dat de vrouwen een fatsoenlijk inkomen verdienen. Dat lukt alleen als de producten goed verkopen. Marktonderzoek wees uit dat er juist ruimte voor ons is in het luxere segment. De consument in Guatemala- Stad verwacht bij een Spa-lijn een bepaalde kwaliteit, een zeker imago. Daar hangt een prijskaartje aan. Shampoo is voor de meesten in Totonicapán sowieso een luxeproduct, ongeacht de prijs. Vrouwen wassen hun haar doorgaans met een stuk zeep." Behalve hun inkomen is ook de sociale positie van Soledad Pérez en Pascuala Vásquez veranderd sinds ze voor Mabeli werken. Taló merkt de veranderende houding ten opzichte van vrouwen eveneens. "Toen ik vijf jaar geleden mannen uit Totoni- capán vertelde over de projecten van CDRO, werd ik nogal eens minachtend aangekeken. Nu luisteren ze naar me en nemen ze zelfs advies van me aan. Vrouwen zijn zelfstandiger geworden. Dat is heel wat als je nagaat dat de meesten hun hele leven ondergeschikt zijn geweest aan mannen."

Mirjam van den Berg

Nat pak op Onafhankelijkheidsdag

Weken hadden ze ernaar uitgekeken. De kleuters en peuters in de crèche waar ik vrijwilligerswerk deed, wisten zo klein als ze waren dat Onafhankelijkheidsdag op 15 september een 'heel belangrijke dag' in Guatemala was. Ook wisten ze dat ze bij goed gedrag limonadesiroop en iets lekkers zouden krijgen. En dus deden ze ontzettend hun best. Ze hadden het volkslied uit hun hoofd geleerd, inclusief het rechterhandje op het hart en een ernstige blik in de ogen. Ze wisten van de nationale held, de nationale boom en de nationale bloem. Zelfs de kleuren van de quetzal, de nationale vogel, haalden ze niet meer door elkaar. Twee dagen voor Onafhankelijkheidsdag mochten ze in traditionele kleding naar de crèche komen. Dat werd al even serieus genomen. Het jongetje dat trots zijn met houtskool getekende snor aan de juf liet zien, mocht die gelijk weer afvegen. De snor in kwestie leek te veel op de snor die de Spaanse bezetter droeg. Enkel Guatemalteekse snorren waren toegestaan. Voorzien van de juiste snor, spandoeken en vlaggetjes paradeerden ze een uur door het dorp, onderwijl het ijverig ingestudeerde volkslied zingend. Buren klapten en leken verguld door zoveel vaderlandsliefde op deze jeugdige leeftijd. Oudere kinderen voerden op het dorpsplein toneelstukjes op en de schoolband tetterde dat het een lieve lust was. De middelbare school kroonde een meisje tot Miss Onafhankelijkheid. Ze nam plaats op de motorkap van een auto en werd door de straten gereden terwijl ze snoepjes naar de omstanders gooide. Alweer een reden voor feest voor de hummels van de crèche.

Op Onafhankelijkheidsdag zelf waren ze vrij. De dag ervoor
vertrok ik naar Xela, waar het feest nog uitbundiger beloofde te
zijn. Ik had amper de keienstraatjes van Antigua achter me gelaten
of ik kwam de eerste gelegenheidsatleten al tegen. Scholen en
verenigingen brengen op 15 september het 'vuur der onafhankelijkheid' van het ene dorp naar het andere. En dus renden er
overal mensen langs de snelweg met een brandende fakkel.
Officieel moeten de renners veertig kilometer afleggen, maar
de meesten hielden het na een kilometer of tien voor gezien.
Mensen uit de dorpen langs de weg 'verwelkomen' de lopers onder
luid gejoel met waterbommetjes of zelfs hele emmers water.
Vanuit de auto moedigde ik ze even hard aan. Met de raampjes
dicht wel te verstaan, want de auto was tot doelwit bestempeld
en kreeg enkele voltreffers.
In Xela zorgde de *feria* voor koortsachtige opwinding. Eigenlijk
heb je Onafhankelijkheidsdag niet echt meegemaakt als je deze
combinatie van braderie en kermis overslaat. Hordes mensen
schuifelen en wachten. Net Koninginnedag. Ook hordes mensen
bij het concert van de Guatemalteekse rockband Malacates, de
avond ervoor. Hossen en springen en uit volle borst meezingen
onder het genot van een Gallo, een Guatemalteeks biertje. Met
recht een heel aangename onderdompeling in de Guatemalteekse cultuur.

Patrick Vercoutere

Race tegen de klok

Oude Amerikaanse schoolbussen en kleinere minibussen rijden
om het hardst door Guatemala. Een rit is goedkoop, maar levens-
gevaarlijk. De doodsverachting van de chauffeurs heeft een proza-
ïsche reden. Hoe meer ritten en hoe meer passagiers, des te meer
inkomsten.

De zon komt op boven de vulkaan Santa María in het gehucht
Llanos del Pinal in de westelijke hooglanden van Guatemala.
Ook Adolfo Tixal Colop Salcaxot ontwaakt, zoals iedere dag
op hetzelfde vroege ochtenduur. Moeizaam, met een pijnlijke
rug, komt hij overeind van het bed, dat uit harde planken
bestaat. Er ligt geen matras op. De houten wanden van zijn

huisje, waar hij met zijn vrouw en zoontje van drie woont, zijn zwart uitgeslagen van de rook. Het kind slaapt nog, maar zijn vrouw heeft het houtvuur al aan. Een paar tortilla's met zout en een kop opgewarmde koffie van gisteren met veel suiker moeten voldoende calorieën opleveren om de zoveelste dag als buschauffeur door te komen. Eerst moet Adolfo in Xelaju zien te komen, de nabijgelegen stad. Met een beetje geluk komt er een open vrachtwagen langs die hem kan meenemen voor één *quetzal*, tien eurocent. Dan is hij in 25 minuten op zijn werk. Als het tegenzit, moet hij een uur stappen over de onverharde weg en is hij een half uur te laat bij de kerk El Calvario in het centrum van de stad. Daar zal de ziedende eigenaar van de minibus hem de huid vol schelden.

Wisselgeld

Het is nog geen zes uur, maar de zon staat al hoog aan de hemel als hij het parkje vlakbij de kerk nadert. Gelukkig is hij op tijd. Een vlugge inspectie van het voertuig, een Toyota Hiace die officieel aan veertien passagiers plaats biedt, leert dat de dieseltank vol is en dat de schrammen en deuken in en op de bus dezelfde zijn als die van gisteren en eergisteren. Ook de eigenaar van de bussen, een *ladino* met hoed en een horloge, is nog steeds dezelfde. Hij drukt de chauffeurs twintig quetzal wisselgeld in de hand. Dat is het startsein voor een werkdag die twaalf uur zal duren. De *ayudante*, de helper, is er nog niet, maar dat komt Adolfo wel goed uit. Op dit vroege uur is het nog rustig. Pas rond zevenen begint het druk te worden, tot negen uur, en dan is het weer wat rustiger tot het middaguur. De eigenaar gaat verder met het inspecteren van zijn andere voertuigen. De chauffeurs, allemaal *indígenas* zoals Adolfo, zijn op één na allemaal komen opdagen. Nu zal de eigenaar zijn zoon moeten bellen en hem vragen te komen werken. Het maakt hem wat nerveus, want hij weet dat zijn vrouw het maar niks vindt dat zoonlief zo vroeg moet werken. Daarvoor heeft hij toch al die indiaanse chauffeurs in dienst? Waarom betaalt hij die eigenlijk, als ze toch niets doen?

De regels van het spel

De eerste rit van de dag begint. De quetzales komen beetje bij beetje binnen, net als de passagiers. Adolfo houdt zowel de binnenkomende mensenstroom als de benzinemeter scherp in het oog. Uit ervaring weet hij dat er een precair verband bestaat tussen het aantal passagiers, de snelheid van optrekken en afremmen en de hoeveelheid quetzales die zich opstapelt. Het is de kunst zoveel mogelijk mensen in het voertuig te proppen en tegelijk zo vaak mogelijk het rondje tussen El Calvario en Las Rosas te maken. Van de politie heeft hij niets te vrezen, die kent de regels van het spel. De helper komt aan boord, of liever hangt buitenboord, want de spits is aangebroken. Dan zouden er wel eens teveel mensen in en uit kunnen stappen zonder te betalen. Adolfo is niet de enige op deze route. Er rijden meerdere minibussen van verschillende eigenaars. De chauffeurs proberen elkaar af te troeven en net iets sneller aan te komen bij wat een halte lijkt te zijn, vooral als er meer dan twee mensen staan te wachten.

Minderwaardig

Langzaam, tergend langzaam gaat de tijd voorbij. Moeders nemen hun kinderen op schoot, want dan reizen die gratis, ongeacht hun leeftijd. Zijn minibus zit al lang boven de toe-

Foto: Mirjam van den Berg

gelaten limiet wat betreft het aantal passagiers, met of zonder kinderen, maar elke quetzal telt. Voor een quetzal kun je immers vijf tortilla's krijgen, en daarvan groeit zijn zoontje. Ook al zal hij altijd kleiner blijven dan de zoon van de eigenaar. Maar dat is normaal. De werkdag zit er al voor de helft op, maar tijd om te eten heeft Adolfo niet. Dan maar een snelle hap kopen van een paar quetzales, als hij langs de markt rijdt. Daar stappen ook een paar buitenlanders in de bus. Het kunnen ook Guatemalteken zijn die Engels spreken, na een jarenlang illegaal verblijf in het land van McDonalds. Maar nee, de groene kleur van hun ogen en hun blonde haar verraden hen. Adolfo probeert ze twee quetzales te vragen, maar krijgt direct een scheldtirade naar zijn hoofd. Weliswaar in gebroken Spaans, maar verstaanbaar voor alle omstanders. De woorden dief en discriminatie vallen. Hij voelt zich klein en minderwaardig.

Geld tellen

Tussen vijf en zes is het weer spitsuur. Er zijn niet genoeg bussen om de mensenmassa op een geordende manier naar hun bestemming te brengen. De buschauffeurs schreeuwen naar elkaar

Foto: Mirjam van den Berg

in verschillende inheemse talen, al naar gelang hun afkomst.
Het komt bijna tot brokken. Eindelijk is het zeven uur. Voor de
laatste keer deze dag naar El Calvario. De eigenaar staat al te
wachten en samen rijden ze naar het benzinestation. Daar staan
meerdere buseigenaars, als een grote familie.
De dieseltank wordt gevuld van de zuurverdiende quetzales.
De helper krijgt dertig quetzales (drie euro) en wat overblijft,
na afdracht van nog eens driehonderd quetzales, is voor Adolfo.
Angstvallig wordt de ene na de andere quetzal geteld, in het
bijzijn van de eigenaar en zijn zoon. Die moet het vak tenslotte
leren. Adolfo telt 53 quetzales, een goede dag. Gisteren waren
het er niet meer dan twintig. Toen was het dan ook zondag en
veel mensen zitten dan uren in de kerk, ook de eigenaar en
zijn vrouw. Gelukkig is het openbaar vervoer goedkoop, denkt
Adolfo, als hij de bus neemt naar Llanos del Pinal. De zon ligt
dan al lang te slapen achter de Santa María.

Eefje Ludwig

Twijfels van een vrijwilliger

Met mijn middelbare schooldiploma vers op zak, vertrok ik naar
Guatemala, het land van de eeuwige lente. Ik was niet alleen jong
en onbevangen, maar ik zat ook vol idealen. Ik voelde me een
heuse wereldreiziger en een wereldverbeteraar op de koop toe.
Reizen naar onbekende plekken, avonturen beleven en tegelijk
nuttig werk verrichten. Een uniek plan, dacht ik. De werkelijkheid
bleek weerbarstiger te zijn.

Scholieren in Antigua · Foto: Mirjam van den Berg

Aangekomen in Antigua, het Guatemalteekse Mekka voor het leren van de Spaanse taal, word ik al snel uit de droom geholpen dat ik hier de enige avonturier zou zijn. Door de pittoreske straten van de vroegere hoofdstad , waar de middagzon de felle kleuren van de huizen doet oplichten, lopen tientallen westerse jongeren, die met hetzelfde doel naar Guatemala zijn gekomen als ik. Allemaal willen we Spaans leren en werken als vrijwilliger. Het aanbod voor vrijwilligers blijkt enorm te zijn. Op de talenschool waar ik lessen volg, duwt Anna Sánchez, een van de leraressen, me een map in handen met beschrijvingen van vrijwilligersprojecten. Ik blader door de map en langzaam begint het me te duizelen. Woorden als jungle, school en kinderen, vliegen van het papier af. In scholen, weeshuizen en ziekenhuizen zijn vrijwilligers meer dan welkom. De mogelijkheden tollen voor mijn ogen. "Wat zou je willen doen?", vraagt ze. "Iets met onderwijs", zeg ik. Ik ben immers van plan om na deze reis onderwijskunde te gaan studeren. Ik raak opgewonden van het vooruitzicht op onvergetelijke ervaringen. Graag wil ik het 'echte' Guatemala zien. Dat ik dat niet in Antigua vind, heb ik intussen wel door. Na het nodige wikken en wegen zet ik mijn zinnen op een weeshuis in Río Dulce, waar een schooltje aan is verbonden.

Tropisch dorpje

Een week later vertrek ik per *chickenbus* naar het tropische warme en vochtige oosten van Guatemala. Na een lange en krappe busreis – met zijn drieën op smalle tweepersoonsbankjes plus zakken en dozen als bagage – stap ik uit net voor de brug bij El Relleno. Vanaf hier leidt de weg verder naar Tikal, het beroemde Mayacomplex in de jungle van de Petén. Ik reis verder per boot

over een wonderschone rivier, de Río Dulce, die mij naar het
gelijknamige plaatsje bij de monding zal brengen. Daar, vlakbij
de Caribische zee, ligt het weeshuis Casa Guatemala, waar ik
de komende maand zal verblijven en mij nuttig ga maken. De
locatie van het weeshuis is prachtig, aan de oever van de rivier
die begroeid is met een weelderige vegetatie.
Nieuwsgierig loop ik het terrein van het weeshuis op, dat een
klein zelfvoorzienend 'dorpje' blijkt te zijn. Als paddestoelen
verspreid staan er op het terrein verschillende gebouwtjes
die onder andere de school, een kleine kliniek, een eetzaal en
slaapverblijven van de kinderen herbergen. Verder van de oever,
dieper de jungle in, zie ik een moestuin waar ook wat varkens
gezellig rondsnuffelen. De zware en vochtige hitte doet mijn pas
vertragen. Ik voel het zweet op mijn huid.

Schorpioenen
Na een vluchtige rondleiding, hoor ik van de leiding wat mijn
taken zijn. Omdat ik maar een maand blijf, zal ik vooral het
onderwijs gaan ondersteunen. Ik mag ook 's ochtends vroeg
helpen in de keuken met het bereiden van de maaltijden voor
tientallen gretige kindermonden. Dan word ik naar het verblijf

voor de vrijwilligers gebracht. Ook hier ben ik niet de enige wes-terling. Lisi, een Deense, heet me welkom en wijst me mijn bed. Als we even later in de keuken staan, kijk ik verbaasd naar een houten muur, waarop verschillende schorpioenen zijn getekend. "Ja", zegt Lisi lachend, "dat is de schorpioenenmuur. Iedere keer als je een schorpioen vindt en doodmaakt, mag je die daar-bij op de muur schrijven." Het schrikt me niet af. Het exotische ongedierte dat duidelijk aanwezig is maakt de ervaring alleen maar spannender.

Diezelfde avond hebben we het met de verschillende vrijwil-ligers over onze drijfveren voor het doen van vrijwilligerswerk. Rui, een Duitser die al bijna een half jaar in Casa Guatemala werkt, zegt: "Vrijwilligerswerk doen is dé manier om een land te leren kennen, iets goeds te doen en tegelijk ergens goedkoop te verblijven. Bovendien staat het goed op je CV. Het toont je zelf-standigheid, ondernemingslust en aanpassingsvermogen." Tja, ook voor mij is het een combinatie van anderen willen helpen en tegelijk mijn eigen zucht naar avontuur bevredigen.

Onzeker

De weken die volgen sta ik voor dag en dauw op. In het donker baan ik me een weg over vochtige paadjes naar de eetzaal. Wanneer ik honderden groenten heb gesneden en emmers vol bonen heb gewassen, ga ik op weg naar het schooltje. Niet alleen de kinderen die in Casa Guatemala wonen krijgen hier les, maar ook kinderen uit de omgeving. Voor velen van hen vormt het schooltje van Casa Guatemala het enige onderwijsaanbod in de omgeving. Kinderen stromen op verschillende leeftijden het onderwijs in, dus zitten er in wat wij groep drie zouden noemen, kinderen van tussen de zes en twaalf jaar. De onderlinge verschillen zijn groot en veel kinderen hebben een leerachterstand. Af en toe spring ik bij in een klas, maar meestal begeleid ik kinderen individueel met lezen en schrijven. Zo haal ik op een ochtend Vicky uit de klas. Aan mijn hand huppelt ze mee naar de eetzaal. In mijn schriftje, waarin ik bijhoud wat de problemen zijn van elk kind, staat: "Vicky: de *v* en de *b*". Ik leg haar het verschil uit tussen de Spaanse *v* en *b*, en laat haar woorden opschrijven die met deze letters beginnen. Dan vraagt ze waar ik vandaan kom. "*Holanda*", zeg ik. "*Mañana*, dan laat ik het je op de wereldkaart zien, *de acuerdo*?" Ze knikt verlegen en vraagt of ze mag gaan. Ook al geniet ik van het werk, ik zie ook de ironie van de situatie in. Ik spreek immers amper beter Spaans dan de kinderen die ik ondersteun. Soms maakt me dat onzeker, maar ik merk ook dat de persoonlijke aandacht de kinderen vooruit brengt.

Dan is de maand om en wil ik weer verder reizen, nieuwe ervaringen opdoen. En ja, daarom laat ik de kinderen in de steek. Bij het afscheid sust Rui mijn geweten. "Luister, je bent hier niet zo lang geweest. De kinderen zijn je al weer snel vergeten. Dat klinkt hard, maar ze zijn gewend aan het komen en gaan van vrijwilligers." Is mijn werk dan wel nuttig geweest? Heb ik daadwerkelijk iets bijgedragen? Met deze vragen stap ik de bus in, op weg naar Tikal.

Foto: Eefje Ludwig

Gratis

In de jaren daarna keer ik geregeld terug naar Guatemala. Elke keer ontmoet ik vrijwilligers, en lijkt de geschiedenis zich te herhalen. Dezelfde dromen, dezelfde projecten, dezelfde situaties. Verandert er dan niets? Houdt de vrijwilligersindustrie de bestaande situatie niet in stand? Doordat zij er zijn, is er wellicht geen plek voor lokale beroepskrachten. Vragen waarop ik langzaamaan antwoord krijg. Zo spreek ik op een dag met Juan Reyes Delgado, die directeur is van een klein schooltje dat praktisch volledig draait op de aanwezigheid van westerse vrijwilligers. "Dat we elke maand nieuwe vrijwilligers welkom moeten heten is natuurlijk niet ideaal", meent hij. "Liever zien we lokale, goed opgeleide Guatemalteken onze kinderen voorbereiden op het leven. Maar wat moet je als er geen geld is, en er wel buitenlanders zijn die zich gratis en enthousiast in willen zetten? Laten we wel wezen, elke goedbedoelde hulp is een stapje in de goede richting."

Potloden en schriftjes

Een paar dagen later loop ik in het dorpje Chimachoy, vlak bij Chimaltenango, een schoolplein op, waar meisjes in felgekleurde *huipiles*, de traditionele indiaanse blouses, meteen om mij heen krioelen. De brutaalste vraagt wat ik kom doen. "Jullie school bezoeken, want er is vandaag een feest", zeg ik. "*Si!* Dat weten we!", roepen de meisjes opgewonden terwijl ze aan mijn arm trekken en me meenemen op een rondje om het schoolgebouw. De buitenmuren zijn beschilderd met vrolijke stripfiguren en in de lokalen staan de

nieuwe klaslokaal in Chimachoy Foto's: Ana-Maria Ackermans Docenten van de school

tafeltjes netjes in rijen opgesteld. Aan de muur hangt een bord. Een Nederlands project heeft het mogelijk gemaakt dat er naast de basisschool vandaag een *telesecundaria* wordt geopend, een school waar leerlingen, via televisie, op afstand onderwijs kunnen volgen. Directrice Laura Vásquez de Back is blij met de nieuwe school, met de hulp en ook met de potloden en schriftjes die buitenlanders, zowel vrijwilligers als toeristen, zo vaak door de douane loodsen. "Zo lang de regering hier niets doet, zijn we blij met de steun van wie dan ook."

Dan is het feest. Het hele dorp is uitgerukt om de opening van de school te vieren. De vrouwen dringen zich nieuwsgierig rond het schoolplein. De mannen bekijken het tafereel van een grotere afstand. Overal waar ik kijk zie ik kinderen, zwerfhonden, ballonnen en vlaggetjes. Op een hoek van het schoolplein serveren moeders eigengemaakte *pepián*, een traditionele stoofpot van vlees en groenten. Later, in de bus die me terugbrengt naar Antigua, kijk ik uit over droge maïsvelden. *Poco a poco*, denk ik, Guatemala heeft tijd nodig. Zolang niemand er slechter van wordt kunnen wij best een handje helpen.

Maja Haanskorf

Ode aan de doden

Geen betere gelegenheid om de wonderlijke vermenging van katholicisme en Mayarituelen mee te maken dan op 1 november, tijdens de viering van Allerzielen. Op die dag zijn de Guatemalteken massaal op de kerkhoven te vinden, waar ze eten en drinken samen met hun dierbare overledenen.

Op alle kerkhoven van het land zijn mensen de dagen voor Allerzielen druk in de weer met verfkwasten om de graven van een fris kleurtje te voorzien. Bloemenverkopers maken de grootste omzet van het jaar. Ook kaarsen, wierook en allerlei katholieke parafernalia vinden gretig aftrek. Op het kerkhof van Antigua ben ik daags voor Allerzielen getuige van de bedrijvigheid. Hele families zijn in de weer met het verwijderen van onkruid, het schoonpoetsen van grafzerken en het aanbrengen van versieringen. Op de dag zelf trekken ze met manden vol eten en flessen

Vroeg in de ochtend op een klein kerkhof
Foto's: Maja Haanskorf

khof van Antigua

De tuktuk is gewild

Foto: Mirjam van den Berg

rum naar het kerkhof. En natuurlijk met een transistorradio, want zonder muziek geen feest. De entree heeft veel weg van een kermis. Suikerspinnen, kraampjes met eten en frisdrank en een marimbaband luisteren de dodenherdenking op.

In sommige plaatsen is het gebruik om vliegers op te laten. Desgewenst met een briefje aan de staart gebonden, voor een beminde overledene. Zoals in Sumpango, een dorp tussen Antigua en Chimaltenango. Daar wil ik heen. Maar eerst wil ik naar San Andrés Itzapa, waar San Simón huist, een kruising van een christelijke heilige en een Mayagod. Bij het busstation staan rijen tuktuks opgesteld. Omdat er geen directe bussen gaan, besluit ik met deze motortaxi te gaan. Armando Chajom Maroquín, de chauffeur, vindt het geweldig. Onderweg zwaait hij naar iedere tuktuk-chauffeur, allemaal *amigos*, en roept hen toe: *Voy a Itzapa!*, Ik ga naar Itzapa. Normaal maakt hij alleen korte ritjes. We maken er een echt dagje uit van en stoppen onderweg bij een klein kerkhof. Op dit vroege uur heerst er nog een serene rust, de eerste mensen komen net aan. Bloemen en planten hebben die frisse ochtendgeur. Ik ben de enige 'vreemdeling', maar niemand die vraagt wat ik kom doen. Integendeel, alom klinkt een vriendelijk *buenos días*.

San Simón in zijn heiligdom

Wierook en twijgen

In San Andrés Itzapa is het een stuk drukker. De markt is in volle gang en in de straat naar het kerkhof staan rijen kramen met bloemen, kaarsen en heiligenplaatjes. Ook de beeltenis van San Simón is te koop, uitgevoerd als sleutelhanger of desgewenst leverbaar als pop. De entree naar zijn heiligdom ligt iets verderop. Aan de buitenkant zie je het er niet van af. Een poort naar een binnenplaats, dat is alles. De geur van *copal*, wierook, en van vuur verraden dat er hier iets gaande is. Samen met Armando, die van Spaans-indiaanse afkomst is, stap ik naar binnen. Op de binnenplaats is een Mayapriester bij een vuurtje in de weer met twijgen, wierook en zaagsel. Wij gaan het heiligdom binnen. De muren zijn beplakt met dankbetuigingen. San Simón heeft zo te lezen heel wat wonderen verricht: zieken zijn genezen, een transactie is met succes volbracht, geliefden hebben elkaar gevonden. Achterin de ruimte staat in een vitrine een houten beeld van een blanke man, gekleed in een driedelig pak en hoed.

Via een trapje kun je vlakbij hem komen. Gelovigen knielen voor het beeld neer en murmelen halfluid een gebed of smeekbede. Om San Simón gunstig te stemmen, offreren ze hem geld, sterke drank en sigaren. Of ze steken een kaars aan, in diverse kleuren die ieder hun eigen betekenis hebben. Zo staat zwart voor het afschrikken van vijanden en wit voor de bescherming van kinderen. Buiten is de priester begonnen aan een ritueel. Volgens Armando probeert hij een jongen te genezen van een ziekte, op verzoek van zijn moeder. Terwijl de jongen er stil bij staat, zegt de priester gebeden en loopt de moeder rondjes om het vuur, zwaaiend met een bosje twijgen. Er zijn meerdere rituelen, tegen verschillende tarieven. Net als de andere bezoekers, gaan we na San Simón richting kerkhof. Ook daar moet nog gebeden worden, voor en met de overledenen. De wierook en kaarsen komen hier ook van pas.

Reusachtige vliegers

Op het kerkhof is het een gezellige bedoening. Op meerdere graven staan mensen klaar om een vlieger op te laten. Het is er een prachtige plek voor. Het kerkhof ligt op een heuvel en je kijkt uit op het dorp beneden en op de bergen verderop. In een rustige cadans zeilen de vliegers door de lucht. Een enkele stort vroegtijdig neer, doordat de touwen verstrikt zijn geraakt of achter een obstakel zijn blijven hangen. Hier en daar klinkt het geknetter van vuurwerk. De eerste dronken mannen hangen scheef onderuit tegen het familiegraf. Een kindje huilt, wanneer haar ijsje op de grond valt. Temidden van de feestelijkheden wordt bij sommige graven hardop gerouwd. Waarschijnlijk is een familielid nog maar onlangs overleden. De meegebrachte etenswaren vinden daar weinig aftrek, noch bij de levenden,

De vliegers in Sumpango spreken van gerechtigheid

noch bij de doden. Het is dat ik de vliegers in Sumpango nog
wil zien, anders was ik hier gebleven. De wonderlijke mengeling
van vreugde en verdriet, van intimiteit en uiterlijkheid maken
dat ik me op mijn gemak voel.

Het festijn in Sumpango is niet te missen. Langs de weg staan
schots en scheef auto's en bussen geparkeerd. Met moeite vindt
Armando een plekje voor de tuktuk. In een lange sliert mensen
beklimmen we langzaam het pad naar de top van de heuvel,
naar het voetbalveld. Daar staan de grootste vliegers die ik ooit
heb gezien. Die kunnen nooit het luchtruim kiezen. Dat hoeft
ook niet, want ze vormen met hun schilderingen en teksten een
tentoonstelling. In drommen lopen bezoekers erlangs.
De vliegers spreken van gerechtigheid, van hoop op een betere
toekomst. Tussen de rijen vliegers die al fier overeind staan,
ligt er nog een op de grond. Een groep jongeren is druk bezig de
laatste hand te leggen aan de vlieger. "We hebben er zeker drie

maanden aan gewerkt", vertelt Luís, terwijl hij de randen van de vlieger met grote stukken plakband vastzet. "In alle dorpen zijn groepen bewoners of clubs die samen een *barilete*, een vlieger, maken. Ieder kiest zijn eigen tekeningen en teksten. Net wat ze belangrijk vinden." Twee anderen klimmen intussen behendig langs bamboepalen, die stevig in de grond zijn geplant, naar boven. Met een touw in hun handen wachten ze tot de vlieger met vereende krachten overeind wordt getild. Dan moeten zij het gevaarte vastbinden.

Op het moment dat de vlieger zich langzaam opricht, stort op het podium aan de andere kant van het voetbalveld een band zijn discodreunen over het publiek heen. Door een grote luidspreker kondigt de wedstrijdleider het begin van de vliegerwedstrijden aan. Voor iedere maat vlieger valt een prijs te winnen. Er zijn minstens acht categorieën. Wanneer de laatste vliegers in het snel vallende duister bijna niet meer te onderscheiden zijn, dalen we af naar de weg. Boven onze hoofden spatten vuurpijlen uiteen. Als een laatste ode aan de doden.

'Eenvoudig zijn betekent niet minder zijn'

Mirjam van den Berg

Wroeten in het binnenste van de aarde

Een vulkaan te voet bedwingen is één ding. Er in duiken een
tweede. In Guatemala kan het beide, zonder zwartgeblakerd
afgevoerd te worden.
Ik sta op het punt af te dalen in een vulkaankrater van ruim
driehonderd meter diepte. Zuurstoftank op de rug, neopreen
pak aan en duikbril op de neus. Duikbril? Jazeker. Ik sta aan
de rand van het Meer van Atitlán, ooit de dinosaurus onder de
vulkanen. Bij een uitbarsting, 84 duizend jaar geleden, kwamen
de brokstukken tot in Miami en Panama. De krater liep vol water
en is nu vooral geliefd bij toeristen die in motorbootjes over het
meer scheuren, op weg naar een 'authentiek' Mayadorp.
In een van die dorpjes zit de enige duikschool in de wijde
omtrek. Dat ik geen duikbrevet of materiaal bij me heb en mijn
laatste duik al weer een tijdje geleden is, lijkt geen probleem
te zijn. In rap tempo krijg ik veertig meerkeuzevragen voorge-
schoteld over signalen onder water, stromingen en wat te doen
bij kluwen algen. Ik beantwoord ze naar wens en mag me in een
wetsuit wurmen.

Een klein half uur later maak ik een koprol achterover van de
boot. De blauwe waterspiegel kleurt langzaam groengeel naar-
mate ik dieper afdaal. Op twaalf meter diepte loopt een breuk-
lijn waarlangs vulkanische modder omhoog komt. Je moet het
maar net weten, want het grijzige zand ziet er precies hetzelfde
uit als op andere plekken. Op aanraden van de duikinstructeur

graaf ik wat om me heen. En krijg nou wat, vlak onder de bovenste laag borrelt iets warms. Enthousiast wroet ik verder, totdat ik tot aan mijn polsen in het mengsel van zand en modder zit. Het is zacht, korrelig en vooral heet. Ik heb het binnenste van de aarde in mijn handen, hoe vaak maak je dat mee?

Het graafwerk is tegelijkertijd ook het hoogtepunt van mijn onderwaterexpeditie. Felgekleurde vissen of koraal kom je hier niet tegen. Wel krabben, slakken en wat baarsjes die nieuws-gierig kijken waar al die luchtbellen toch vandaan komen. Eigen-lijk is het ook wel fijn dat ik niet om fragiel koraal heen moet laveren. Sterker nog, ik mag overal aanzitten, een ongekende vrijheid voor duikers. Ik voel aan brokken lava. Ze zijn afgesle-ten door het water, maar nog steeds goed herkenbaar aan de kleine putjes. Wat later kom ik een wand met brokken zachte klei tegen. Ook daar zet ik mijn vingers in.

Als vanuit het niets doemt opeens een boom op. De stam en takken versteend, bedekt met mos en slakken. Sinds het ontstaan van het meer is het waterniveau langzaam gestegen. Berghellingen van omringende vulkanen verdwenen deels onder water. 'Gezonken bomen' zijn als stille getuigen achtergebleven. Sommige liggen omgeknakt en haast onherkenbaar op de bodem. Dit exemplaar staat nog fier overeind, zonder blaadjes uiteraard. Een spectaculair einde van dit onderwateravontuur. Langzaam zweef ik naar het wateroppervlak. Ik kom boven in een derrie van afval en schuim. Duurzaam toerisme zou op deze plek zeker niet misstaan. Gelukkig organiseert de duikschool eens per jaar een grootscheepse opruimactie zodat het Meer van Atitlán enigszins toonbaar blijft.

Maja Haanskorf

Op zoek naar de Garífuna's

Verspreid langs de noordkust van Honduras wonen Garífuna's. Deze bevolkingsgroep leeft in hechte gemeenschappen, dichtbij zee. Op enige afstand van de plaatsen Trujillo en Tela liggen diverse Garífunadorpen. 'Authentiek, sfeervol', prijzen reisgidsen aan. Veel meer vermelden ze niet. Garífuna's doen nog nauwelijks aan toerisme. Geen straatverkoop van kunstnijverheid, geen typische etnische klederdracht. Alleen de punta, de opzwepende muziek die je in La Ceiba, de grootste stad aan de kust, overal hoort. Waar zijn de Garífuna's?

De Garífuna's zijn vooral in het buitenland, in de Verenigde Staten, vertelt de eigenares van een barretje in het dorpje Guadeloupe. Ze hangt over de half open deur van haar woning, die er zeer authentiek uitziet. Precies zoals de reisgids beloofde. "Iedereen in het dorp heeft wel een paar familieleden in de VS.

Het eilandje Chachahuate
© Maja Haanskorf

Als die genoeg geld overmaken, bouwen de mensen hier een stenen huis." Zelf heeft ze ook familie in het beloofde land. En ja, als ze de kans kreeg, dan ging ze ook noordwaarts. Intussen laat ze zich breed lachend fotograferen. Een mooie zwarte vrouw, een Garífuna's, de etnische groep die langs de noordkust van Honduras woont.

De Garífuna's stammen af van Caribische indianen en ontsnapte Afrikaanse slaven. Toen in 1635 een boot met slaven schipbreuk leed bij het eiland St. Vincent, wisten de Afrikanen te ontsnappen. Ze bleven op het eiland en vermengden zich met de indiaanse bewoners. Ruim een eeuw later, in 1797, werden de bewoners door de Engelsen verdreven, omdat ze zich verzetten tegen de Britse kolonisatie van St.Vincent. Ze werden gedeporteerd naar Roatán, een van de Baai-eilanden voor de Hondurese kust. Van daaruit verspreidden zij zich langs de kusten van Belize, Guatemala, Nicaragua en vooral Honduras.

Hoge werkloosheid

Guadeloupe ligt zo'n dertien kilometer buiten Trujillo, een rustig stadje met prachtige witte zandstranden. Aan het begin van de vorige eeuw werd de Amerikaanse United Fruit Company hier actief. Op de bananenplantages vonden veel Garífuna's werk. In de loop van de eeuw verplaatsten de economische activiteiten zich meer naar het noorden. Werkgelegenheid is er niet veel meer. Dat geldt in feite voor alle Garífunadorpen. De werkloosheid is erg hoog en met scholing is het slecht gesteld.

Een rondgang door Guadeloupe laat nog veel traditionele huizen zien. Ze zijn opgetrokken uit een latwerk van *caña brava*, stengels van suikerriet, dat is opgevuld met rode of witte aarde. De daken zijn van palmriet. Op het strand liggen, tussen de

Lagune Los Micos

palmbomen, onveranderlijk vissersbootjes in vaalgroene en blauwe tinten. Netten hangen te drogen. Van oudsher is visserij het bestaansmiddel van de Garífuna's. Daarnaast verbouwen ze voor eigen gebruik yuca, bananen en kokos.

Landrechten

Een groot probleem voor de Garífuna's is dat de rechten op hun land vaak niet zijn vastgelegd. Hoewel ze geen inheemse bewoners zijn van Honduras, hebben ze het land waar ze sinds het eind van de achttiende eeuw wonen, altijd als hun eigendom beschouwd. Het grootste gevaar komt van projectontwikkelaars, die luxe hotels willen bouwen langs de prachtige kust. De Garífuna's hebben zelf nooit iets gedaan met het toeristische potentieel van hun gebied en nu dreigen zij hun paradijsje te verliezen.

Die dreiging is het grootst in de omgeving van Tela, nu nog een rustige badplaats. Het Tela Bay Development Project moet de regio toeristisch tot ontwikkeling brengen. Hiertoe is de bouw van een mega resort gepland, van tenminste drieduizend kamers, ten westen van Tela, tussen de Garífunadorpjes Tornabé en Miami. De ligging is schitterend: aan de ene kant de zee met een strand met kokospalmen en aan de andere kant de lagune Los Micos. Op de uiterste punt van de smalle landtong ligt Miami, bij de *barra*, de zandbank die de scheiding vormt tussen zee en lagune.

Op het kantoor van de Nederlandse ontwikkelingsorganisatie SNV in La Ceiba, uit Willem Bron zijn verontrusting over dit plan. "De minister van toerisme is voor grootschalig strandtoerisme. De regering legt een nieuw vliegveld aan en een tweebaans snelweg langs de kust, tussen Tela en El Progreso. Ze hebben de mond vol over het werk dat er komt voor mensen uit de regio. Maar aan de nodige scholing gebeurt niets. En de toekomst van de dorpen is onzeker."

Geruchten

In Tela kan ik meeliften tot Tornabé, dat ligt te slapen in de warme zon. De huizen waren hier bij mijn laatste bezoek, vier jaar geleden, al van steen. Langs de zandweg naar Miami liggen verspreid huisjes, hier en daar groeit yuca. Kokospalmen zorgen voor wat schaduw. Er lijken er minder te zijn. Opeenvolgende orkanen, waarvan Stan in 2005 als laatste over het land raasde, hebben hun tol geëist. Het is ruim twee uur lopen, tot ik de bekende hutjes zie, dezelfde als in Guadeloupe. Er heerst volstrekte rust. Iemand slaapt in een hangmat, een vrouw bereidt vis, een ander doorklieft een kokosnoot. Juist als ik twee spiksplinternieuwe houten huisjes ontwaar, komt een man op mij toelopen. "Jenaro Errera Bernárdez", stelt hij zich voor.

Eigenaar Jenaro Errera Bernárdez

Hij blijkt de eigenaar van de huisjes te zijn. "De *cabañas* zijn voor toeristen. Voor tweehonderd lempira kun je er met twee personen logeren, inclusief douche en toilet", legt hij uit. Op mijn vraag of er veel toeristen komen, blijft hij wat vaag. Liever neemt hij me mee voor een boottochtje. Zo verdient hij wat bij, als gids en ook door op de auto's te passen van mensen die hier komen vissen. "Dit is onze grond", vertelt hij, "we hebben hier alles zelf gemaakt. Er gaan geruchten dat ze in de buurt gaan bouwen, maar ik heb nog geen ondernemer gezien. President Zelaya is wel geweest, die zei dat wij hier recht hebben op de grond. Maar de mensen zijn verdeeld, we zijn geen eenheid meer", verzucht hij. Intussen lijkt het leven hier ogenschijnlijk zijn gangetje te gaan, onaangetast door de oprukkende moderne tijd. Een vrouw overhandigt me een trosje fruit. "*Viscoyol*", zegt ze. De kleine vruchten, met een harde, roodbruine schil, smaken een beetje als kruisbessen en groeien aan een palmboom. Over de lagune nadert een vissersboot. Vanavond komt er nog een auto uit San Pedro Sula, die vis komt halen voor verkoop in de stad.

Paradepaardje

De volgende dag, op het door airco gekoelde kantoor van Camatug in Tela, betreed ik een andere Garífunawereld. Deze Nationale Kamer voor Toerisme van de Garífuna's is in 2004 ontstaan uit de samenwerking van zes Garífunadorpen. Voorzitter Alan Bernárdez oogt als een jonge westerse manager. Als ik hem vertel over mijn bezoek aan Miami, schudt hij zijn hoofd. "Mensen weten niet waar ze aan toe zijn. Er is nauwelijks werkgelegenheid, vandaar de enorme uittocht naar de grote stad en naar de Verenigde Staten. De meeste mensen in Miami hebben hun grond al verkocht. De eerste die verkocht was de voorzitter van de dorpsraad", verklaart hij. Ook Bernárdez was in de VS, waar hij een toeristische opleiding volgde. Nu wil hij via Camatug de armoede onder Garífuna's bestrijden. Op zijn bureau staat een laptop en ik zie een glossy folder liggen. "Kijk, het gaat ons om duurzame ontwikkeling, om werkgelegenheid en scholing. Wij Garífuna's moeten zelf aan toerisme verdienen", ontvouwt hij de plannen. Op het scherm van de laptop verschijnt het paradepaardje Beach Villas and Resort, een luxe residentie met vrijstaande villa's en een hotel van topklasse. "Het is bedoeld voor een kleine groep mensen met veel geld, zoals gepensioneerden uit de VS en Europa. Het voordeel voor de Garífunadorpen is de werkgelegenheid en de aanvoer van producten en diensten. Bij Camatug zijn verschillende kleine bedrijven aangesloten en we werken samen met opleidingen in Tela om mensen te scholen. En met SNV, die ons helpt met verdere professionalisering." Het resort moet verrijzen in La Ensenada, op een steenworp afstand ten oosten van Tela. "Niet midden in een natuurgebied, zoals de regering van plan is bij de lagune Los Micos", zegt Bernárdez.

Bounty-eilandjes

Tijdens mijn zoektocht naar de Garífuna's beland ik tenslotte op Chachahuate. Iris Castro, die op het kantoor van SNV in La Ceiba werkt, had verteld over dit kleine eilandje van de Cayos Cochinos, waar toeristen het leven van de Garífuna's kunnen meemaken. Alleen de boottocht vanaf Sambo Creek is al fantastisch. Over het azuurblauwe water varen we langs superkleine cayos met verblindend wit strand en wuivende kokospalmen, die als Bounty-eilandjes uit zee oprijzen. Als we aanleggen, wacht Nancy Nuñez Avanda (32) me al op. Ze woont bijna haar hele leven op de cayo en coördineert de *comedores* en de slaapplaatsen. "Er kunnen zo'n veertig toeristen blijven slapen", vertelt ze. Ook in haar huis staan op een bovenverdiepinkje, onder het rieten puntdak, twee bedden. "Kleed je daar maar om", dirigeert ze me het steile trapje op. Buiten is haar restaurant, een tafel en plastic stoelen die wegzakken in het zand. Als een generaal zit ze op haar stoel en vandaar beschreeuwt ze iedereen met luide stem. Tussendoor maakt ze grappen en belt met haar mobiele telefoon. "Wassen en baden doen we in zee", vertelt ze, "aan die kant kun je zwemmen. De wc's staan aan de andere kant, twee *baños típicos*. Ga maar kijken", stuurt ze me weg.

Kreeften en sardienen

Een rondje Chachahuate hoeft niet lang te duren, de cayo is nog geen hectare groot. Maar ze is wel volgebouwd met zo'n veertig dicht op elkaar staande hutten. Vissen en duiken, daarvan leven

De man van Nancy bereidt de vis

Verse vis

Baño tipico – houten poepdoos.

ze hier. Een mooie vent met pezig gebruind lijf blijkt de man van Nancy te zijn. In een houten kooi naast hem zie ik kreeften, sardienen en nog wat onbekende vissen. "Het is hier beschermd gebied", vertelt hij, "dus we vissen *artesanal*, met touw en deze kooi voor de kreeft. Langer dan drie uur per dag kun je niet duiken. Dan ben je wel zo'n vijftig keer naar beneden geweest. Tot vijftien meter diep, steeds anderhalve minuut." Hoewel de kreeftstand teugloopt, gaan ze door met vangen, erkent hij. Een stukje verderop schrobben vrouwen kledingstukken in zee en spelen kinderen tikkertje in het water. Een pelikaan duikt snel naar beneden. En dan zie ik de wc's, een soort poepdozen die op een houten pier boven het water zijn gebouwd. Lekker luchtig. Hier en daar liggen bergjes afval van zakjes, plastic flessen en huisvuil. "Afval is een probleem", vertelde Iris Castro eerder. "Er is onlangs wel afval begraven, maar ja, de cayo is heel klein en overbevolkt."

Paradijs

Bij Nancy is de bereiding van de lunch in volle gang. Haar zoon, een van de vijf kinderen, heeft zojuist een behoorlijk grote barracuda aan de haak geslagen. Met zijn scherpe tanden in de spitse bek ziet hij er vervaarlijk uit, maar de smaak van zijn vlees is verrukkelijk. "Voor vanavond", beslist Nancy, die al sardienen heeft schoongemaakt. "Je kunt blijven slapen", nodigt ze me uit. Er is plek genoeg, want de meeste toeristen komen alleen overdag. De volgende keer, als ik meer tijd heb, kom ik terug, beloof ik Nancy, en dan blijf ik. Een lakenzak, handdoek en zaklamp, noteer ik vast, dat is genoeg bagage. Nu drink ik innig tevreden mijn bier en eet rijst met vis. Het uitzicht op zee in de mooiste kleuren blauw, groen en turkoois, de wuivende kokospalmen boven mijn hoofd en het witte zand onder mijn voeten maken dat ik me in het paradijs waan. Voor de bewoners is het leven iets prozaïscher. Voor drinkwater lopen de vrouwen bij laag tij naar een nabijgelegen cayo, met grote plastic vaten op het hoofd. Eten en drank wordt aangevoerd van het vaste-

land. Het toerisme moet voor extra inkomsten zorgen, zodat hun kinderen kunnen studeren en ander werk kunnen vinden. 's Avonds eet ik in La Ceiba bij een eenvoudig restaurantje, waar een struise Garífuna de scepter zwaait. Het is zaterdag en straks komt een band spelen. "*Punta*", ligt ze toe. Een uur later dans ik mee, temidden van zich soepel en sensueel bewegende vrouwen, op de klanken van opzwepende drums. Dat pak je de Garifuna's niet af.

Nancy druk in de weer

Jantien Bult

'In San Pedro werken ze'

De stad is een knooppunt van wegen en vliegverbindingen en de economische motor van het land. Niet hoofdstad Tegucigalpa, maar San Pedro Sula, in het noorden van Honduras, is het zenuwcentrum van het land. Een impressie van werkstad San Pedro Sula, het Rotterdam van Honduras.

Als je vanuit het zuiden de stad San Pedro Sula nadert, stijgt de temperatuur met elke meter die je daalt. Langzaam zak je de Valle de Sula in, de vallei die bekend staat om zijn bananenplantages en zinderende, vochtige hitte. Ruim een eeuw geleden, toen de stad nauwelijks meer dan vijfduizend inwoners telde, zette San Pedro een bevolkingsgroei in die tot op heden nog steeds voortduurt. De opkomst van de bananenindustrie, voor het overgrote deel in handen van de Noord-Amerikaanse

Aan de voet van het Merendóngebergt

Foto: Jantien Bu

Standard Fruit Company, was verantwoordelijk voor die groei en zorgde voor een economische impuls. In de stad kwamen kantoren en vijftig kilometer noordwaarts werd een haven uitgegraven aan de Caribische zee. Tussen die twee plaatsen werd, dwars door de vallei van Sula, een spoorlijn aangelegd om het *oro verde*, het groene goud, zoals de Hondurezen de bananen noemden, af te kunnen voeren. De plek waar de spoorlijn de zee bereikte, groeide uit tot de havenstad Puerto Cortés en San Pedro Sula, dat nu een miljoen inwoners telt, klom op tot de tweede stad van Honduras. Het is de werkstad bij uitstek, die nog steeds een sfeer van handelsgeest ademt. Zoals de Hondurees zegt: '*Tegus piensa, San Pedro trabaja y Ceiba baila*'. In Tegucigalpa denken ze, in San Pedro werken ze en in La Ceiba dansen ze.

Scheidslijn

Het spoor ligt er nog altijd, al rijdt er al jaren geen trein meer over de verroeste rails. *La Linea*, zoals deze spoorlijn in de volksmond heet, is voor elke inwoner van San Pedro Sula een begrip, alleen niet vanwege zijn historie. Tegenwoordig staat de lijn symbool voor de uitersten die je aantreft in de stad. La Linea snijdt namelijk het hedendaagse San Pedro Sula in tweeën en deelt meteen de wereld in: er bestaat *Arriba de la Linea* en *Abajo de la Linea* en iedereen weet wat daarmee wordt bedoeld. In het lager gelegen 'abajo' heerst armoede en er zijn bendes actief. Het staat bekend als onveilig gebied, een imago dat zowel binnen als buiten Honduras aan de stad kleeft. In het hogere deel van de stad, dat aan de voet van het Merendóngebergte is gebouwd, liggen de rijkere wijken, vaak verstopt achter hoge muren.

Broodje airco

San Pedro Sula is een ruime stad met veel laagbouw en groen. Op de beboste berghelling ten westen van de stad prijken grote, witte Hollywood letters: Coca Cola, die je vanuit de hele stad als een kompas de weg wijzen. Overigens is het niet moeilijk je weg te vinden: de brede *calles* en *avenidas* vormen een raster en een rondweg omringt het centrum. De Hondurees rijdt hier het liefst rond in een stevige pick-up. Aan het westelijke deel van de rondweg is het *booming business*. Hier liggen de Amerikaanse fastfoodketens, de discotheken, de banken en de woonwinkels. Er verrijzen steeds meer winkelcentra naar Amerikaans voorbeeld. Reclameborden schreeuwen je tegemoet. Eind 2005 is de nieuwe City Mall geopend. In nog geen acht maanden tijd is dit drie verdiepingen tellende gebouw met parkeergarage neergezet, nog groter en glimmender dan de *mall* die er al was. De malls zijn vooral in trek vanwege hun *food court*, naar verluidt omdat de bezoekers geen geld hebben om te winkelen, maar wel graag wat willen eten in de koele van airconditioning voorziene malls. Het is altijd bomvol op het enorme plein. Uit de speakers schalt Amerikaanse popmuziek uit de jaren tachtig, terwijl lunchend San Pedro Sula zijn eten kiest.

Straatverkoop   Foto's: Jantien Bulf

Guamilito markt · Foto: Rob Kohlm.

Straathandel

In het hart van het oude stadscentrum, rond de kathedraal, gaat het er heel anders aan toe. Hier zie je hoe de informele markt werkt. Er is de straat met de geldwisselaars, de hoek met de schoenpoetsers en de hokjes van de mannen met de typemachines. Voor een paar lempira typen ze de brief die jij dicteert. Hier in het centrum vind je ook La Linea weer, waar het op dit deel van het spoor zeven dagen per week markt is en het vol staat met houten kraampjes en tafeltjes met handelswaar onder blauw-rood-geel gekleurde parasols. Hoe oostelijker je komt, hoe meer straathandel je vindt. Er zijn bakken vol gekopieerde cd's te koop, plastic bakjes, teiltjes en emmers, synthetische kleding, Chinese slippers en schoenen en emaillen potten en pannen. Voor een winkel staat een dj, die met harde muziek en schreeuwerige aanbiedingen de mensen naar binnen probeert te krijgen. Tussen deze vrolijke chaos door rijden hard toeterend de gele, afgedankte schoolbussen uit de Verenigde Staten, die samen met de kleine bestelbusjes, de *rapiditos*, het openbaar vervoer van de stad vormen.

Rafelrand

Vanaf het dak van het dure vijfsterrenhotel Copantl, dringt de uitgestrektheid van de stad pas goed tot je door. Elke dag lijkt de stad weer een beetje te groeien. Vooral sinds de komst van de *maquilas*, de grote textielfabrieken aan de randen en in de voorsteden van San Pedro Sula, is de migratie van het platteland naar de stad enorm toegenomen. Migranten vinden, als ze geluk hebben, werk in een van deze fabrieken. Het zijn grote ommuurde terreinen met uitgestrekte, lage fabriekshallen. Boven de streng bewaakte poort wapperen Amerikaanse of Aziatische vlaggen. Degenen die geen geluk hebben leven in erbarmelijke omstandigheden op de zogenaamde *bordos*, de rivieroevers die bezaaid zijn met krotten. Als je San Pedro Sula uitrijdt richting Puerto Cortés, zoals ooit de bananen werden uitgevoerd over het spoor, kom je deze krottenwijken tegen aan de randen van de stad. Vaak op luttele meters afstand van een welvarende en veilig ommuurde villawijk waar de rijkere Hondurezen wonen. De mensen van de bordos doen hun was in de rivier, terwijl ze bij wijze van spreken het geluid van een wasmachine aan de andere kant van de muur kunnen horen. Hoe dun de scheidslijn tussen arm en rijk ook is, ze leven in totaal verschillende werelden.

Markt in het oude stadscentrum
Foto: Jantien Bult

Carin Steen

De Maya's zijn 'in'.

De indiaanse dorpjes rond Copán Ruinas in het westen van Honduras, dichtbij de grens met Guatemala, zijn in trek bij toeristen. Een rit te paard naar een van de vele dorpjes waar bezoekers zelf tortilla's kunnen maken, heeft een vaste plaats in menig reisprogramma gekregen.

De Mayaruïnes in het archeologische park bij Copán Ruinas zijn praktisch het enige dat de laatste jaren niet drastisch is veranderd. Het plaatsje is een belangrijke toeristenbestemming geworden en dat is te merken. Met zo'n achtduizend inwoners heeft Copán Ruinas allang zijn slaperige imago van koloniaal bergdorp achter zich gelaten. Tegenwoordig kan het wat betreft aanbod en vertier concurreren met andere toeristische hoogtepunten, zoals de exotische Baai-eilanden en het schilderachtige Antigua in Guatemala. Sinds kort is het beleid in de gemeente erop gericht het koloniale beeld van het centrum te behouden. Zo moeten de huizen volgens een bepaald kleurschema worden geschilderd. Reclameborden op de gevels zijn niet langer toegestaan en de bouw in het centrum is aan strenge restricties onderhevig. Voor het eerst in de geschiedenis van Copán Ruinas lijken de bewoners zich bewust te zijn van de esthetische waarde van hun dorp. Niet in de laatste plaats vanwege de invloed daarvan op het toerisme, dat geld in het laadje brengt. Soms leidt het tot conflicten. Niet iedereen begrijpt dat een oud huis van *adobe* mooier is dan een modern bouwsel met leuke tierelantijnen. De eigenaar wil daarmee vooral laten zien dat het hem voor de wind gaat.

Bouwputten

Hoewel de economische situatie in Honduras treurig is, geldt dat zeker niet voor Copán Ruinas. Ieder stukje land dat niet tot archeologisch gebied is verklaard, wordt bebouwd. Waar geen land beschikbaar is, verrijst een verdieping op een al bestaand gebouw. Toerisme betekent inkomsten en aan de bouwputten te zien, probeert iedereen hier een graantje van mee te pikken. Niet alleen schieten de hotels en souvenirwinkels als paddenstoelen uit de grond, ook de ijzerwinkels, garages en benzinestations doen goede zaken.

Ook de inheemse bevolking van Copán Ruinas, de Maya Chortí, is betrokken bij de ontwikkeling van het toerisme. Nog niet zo lang geleden werd er neerbuigend op deze bevolkingsgroep neergekeken. Ze diende vooral als goedkope arbeidskracht voor het oogsten van koffie. Nu bieden toeristenbureaus in Copán Ruinas ritjes te paard aan naar de dorpjes van de Chortí. Daar kunnen toeristen zelf tortilla's maken en met eigen ogen zien hoe de Maya's heden ten dage leven.

Kleiovens

Langzamerhand beginnen de Maya Chortí in te zien dat zij zelf een belangrijke trekpleister zijn. Na jarenlang met lede ogen te hebben toegekeken hoe de *ladinos*, de niet-inheemse bevolking, zich verrijkten aan het verleden van hun voorouders, zijn er nu verschillende initiatieven die er op gericht zijn de inkomsten binnen de eigen gemeenschap te houden.

Een van de meest geslaagde voorbeelden is het dorpje La Pintada, op een half uur lopen van Copán Ruinas, met een prachtig uitzicht over de Mayaruïnes. Nog maar een paar jaar geleden was dit een dorp zoals zoveel andere, met eenvoudige lemen hutjes en bewoners die zich voornamelijk met het verbouwen van maïs en bonen bezighielden. Nu is toerisme een van de belangrijkste inkomsten geworden dankzij de verkoop van bloemen en poppetjes van maïsblad en het rondleiden van toeristen in het dorp. Tot voor kort begrepen de bewoners niet waarom buitenlanders zo geïnteresseerd zijn in hun keukens met een traditionele klei-oven en open vuur. Misschien begrijpen ze de beweegredenen van toeristen nog steeds niet, maar ze weten inmiddels wel dat buitenlanders graag willen betalen om te zien hoe de indianen écht leven.

Chipszakjes

La Pintada beschikt nu over een restaurant, een 'hangmathotel' en een gemeenschapscentrum waar de lokale *artesanía*, kunstnijverheid, te koop is. Het dorp is populair onder internationale ontwikkelingsorganisaties, omdat het 'echt' indiaans is en lekker dicht bij Copán Ruinas ligt. Aan projecten is dan ook geen gebrek. De vrouwen hebben nauwelijks meer tijd om maïs te malen, want ze maken, naast poppetjes van maïsblad, ook nog portemonneetjes van chipszakjes en weven bontgekleurde sjaals. Of ze nemen deel aan een van de vele workshops die de diverse ontwikkelingsorganisaties aanbieden om hun gemeenschap

gemeenschapscentrum in La Pintada
o: Lise Winters

Foto: Carin Steen

vooruit te helpen. Deze workshops zijn gericht op een herwaar-
dering van de cultuur van de Maya Chortí, maar het accent ligt
op het verwerven van alternatieve inkomsten voor de inwoners.
Dat het succes van de laatste doelstelling de eerste onder druk
zet, schijnt niemand te deren. De maïspoppetjes zijn een typisch
cultureel erfgoed van Noord-Amerikaanse indianen en de
weefkunst is van Japanse oorsprong. Nu heten deze producten
'typisch' Maya Chortí.

Karatekreten

De gevolgen van het toerisme zijn in La Pintada duidelijk te merken. Dankzij de gestage stroom toeristen is er aan geld geen gebrek. Steeds meer rieten daken maken plaats voor zinken golfplaten. Sinds een jaar of drie is er elektriciteit in het dorp, zodat de toeristen een koud drankje kunnen drinken en de kinderen zich 's avonds rond de televisie in het gemeenschapscentrum scharen. Natuurlijk wordt er nog steeds ouderwets geknikkerd of met de tol gespeeld, maar de invloed van Jackie Chan is, te horen aan de kinderen, onmiskenbaar. Naast Spaans, een beetje Engels en Chortí, slaan ze nu ook universele karatekreten uit, begeleid door energieke schoppen en stompen in de lucht. De dollars hebben ook een ware revolutie ontketend in het dieet van de plaatselijke bevolking, want chips en coca cola vormen nu een vast bestanddeel van het menu.

'Echt' Chortí.

Door de belangstelling van toeristen is het bewustzijn van de lokale bevolking voor hun eigen cultuur sterk toegenomen. De hernieuwde trots om Maya Chortí te zijn gaat nu hand in hand met een Motorola mobieltje. Er is ook meer oog voor het behoud van de omringende natuur en voor het schoonhouden van het dorp. Want dat stellen toeristen op prijs.
Voor het eerst zijn er nu in La Pintada kinderen die naar de middelbare school in Copán Ruinas gaan. Hun ouders zijn niet langer afhankelijk van liefdadigheid, maar kunnen zelf een beter inkomen verdienen door toeristen goed van dienst te zijn.
Of hun dorp en hun artesanía nu 'echt' Maya Chortí zijn of niet, doet er eigenlijk niet zoveel toe.

Ramón Mendoza

De schoenpoetsers van Parque Central

Allemaal hebben ze een verhaal te vertellen. Soms is het waar
gebeurd, maar het kan net zo goed verzonnen zijn. Of het nu
over voetbal gaat, de politiek of persoonlijke problemen, ze weten
overal over mee te praten. Binnen de kortste keren ontstaan
verhitte debatten. Ze formeren een nieuw voetbalelftal, benoemen
een andere president en gooien alle corrupte types het gevang
in. Of ze winnen de loterij, kopen dure auto's en maken grote
reizen. Dat alles op hun vaste werkplek, de bankjes op het Parque
Central in de hoofdstad Tegucicalpa, vlak naast de kathedraal.
Daar zitten de '*chaineros*', de schoenpoetsers.
De meesten hebben niet meer opleiding dan de basisschool.
Maar ze volgden allemaal de 'universiteit van het leven', de
straat. In 'Tegus' en Comayaguela, de tweelingstad aan de
andere kant van de rivier, struinden ze langs bars, winkels en
bordelen, waar ze *chaine* aanboden. Ze hebben de schoenen
gepoetst van parlementsleden tot lotenverkopers en ze hebben
geprofiteerd van de gratis diensten van vrouwen uit het leven.
Ze hebben honger geleden en gefeest, de brandende zon en
zware regenbuien doorstaan. Van jongs af aan zwierven ze met
hun kistje met schoensmeer en borstels door de stad.
Zoals Ernesto. Tien jaar was hij, toen hij met schoenpoetsen
begon. "Om mijn moeder te helpen", vertelt hij. Iedere dag liep
hij naar Comayaguela, want daar waren minder schoenpoetsers
dan in Tegus. Al gauw had hij veel klanten, maar op den duur
kreeg hij concurrentie. Dat waren soms zijn eigen vriendjes, die

hij het vak had geleerd om niet steeds alleen te hoeven lopen. "Dat was niet echt slim van mij", zegt hij nu. "Want af en toe gaf ik hun mijn klanten, zodat ze er niet de brui aan zouden geven en ik weer alleen was." Tenslotte liepen zijn inkomsten zo terug, dat hij ermee ophield.

Zo kwam het dat Ernesto zich aanmeldde bij het leger. "Dat was afzien, vroeg opstaan, slecht eten en een laag loontje", vertelt hij. "Dan moest ik ook nog de schoenen van de kolonel poetsen, gratis en voor niks." Toch heeft hij geen spijt van de twee jaar die hij er doorbracht. Daarna werkte hij een tijdje als bewaker, tot hij bij een ongeluk bijna zijn hand kwijtraakte. "Toen kreeg ik ontslag en mijn baas betaalde me niets." Sindsdien zit hij weer in zijn oude vak, schoenpoetsen. "Ik ken mensen die erop neerkijken, maar ik vind het prima. Geen kolonel die me voor niets zijn laarzen laat poetsen en geen baas die mij commandeert. Ik heb alleen geen zin meer om met mijn kistje door de straten te lopen. Daarom werk ik nu hier, op mijn vaste plekje op het plein." Klanten gaan zitten, lezen een krantje of vertellen een verhaal. De schoenpoetser pakt zijn smeer, borstel en doek en wrijft de schoenen tot ze glimmen. Na betaling van tien peso neemt de klant vriendelijk afscheid. Daar komt al weer een volgende klant. De schoenpoetser biedt hem een krant aan, of ze praten. Zo is het leven van de chaineros op het Parque Central.

Vertaald uit het Spaans door Maja Haanskorf

Maja Haanskorf

Toerisme in eigen beheer

Turismo comunitario, kleinschalig toerisme dat ten goede komt aan de lokale gemeenschap. Onder die noemer vallen verschillende projecten in rurale gebieden van het land. Ze krijgen steun van ontwikkelingsorganisaties, die het zien als een vorm van armoedebestrijding. In de heuvels boven het Lago de Yojoa en bij de Río Cangrejal, aan de voet van de Pico Bonito, kunnen bezoekers kennismaken met de bewoners en genieten van een ongerepte natuur.

De weg naar het meer van Yojoa is glad geplaveid. Soepeltjes rijden we langs de oever van het meer, waar op deze zondagochtend de eerste recreanten zich al te goed doen aan de lekkernijen bij de talrijke eetstalletjes. Straks, rond het middaguur, zullen

De heuvels boven het Lago de Yojoa
Foto's: Maja Haanskorf

de restaurants vollopen met gezinnen uit San Pedro Sula, die voor een paar uur de grote stad ontvluchten. Sommigen huren een bootje, anderen werpen hun hengel uit. Slechts een enkeling waagt zich hoger de heuvels in, naar dorpen zoals San José de Comayagua.

Vandaag ben ik daar te gast bij een project van Desatur. De ontwikkelingsorganisatie steunt een groep jongeren die in hun dorp duurzaam toerisme van de grond willen krijgen. Ze hebben bijna allemaal een middelbare opleiding gevolgd op het gebied van toerisme. Maar banen zijn nauwelijks voorhanden. En dan nog. Aan de kust, waar het Hondurese toerisme zich vooral afspeelt, zijn de eisen voor personeel hoog. Goed Engels spreken is wel het minste en dat doen deze jongeren nog niet. De meesten hebben de kust van hun eigen land nog nooit gezien en dan is het lastig werken met verwende toeristen.

Hipolito Pavón van Desatur vertelt enthousiast over de vorderingen van het project. "Het is de bedoeling dat de jongeren alleen of in de vorm van een coöperatie kleine tot middelkleine bedrijven opzetten, gericht op toerisme. Deze omgeving heeft zoveel potentie. Het meer, de grotten van Taulabé, het archeologische park Los Naranjos en de nationale parken Montañas de Santa Barbara en Cerro Azul Méambar", somt hij op. Begin 2006 zijn we gestart met vijftig jongeren uit vier dorpen. Ze volgen cursussen op het gebied van toerisme, ze leren Engels en hoe een ondernemingsplan te maken." Het eerste voorzichtige resultaat ga ik zo zien.

Dartelende apen

Op een paar geleende schoenen loop ik over het pad het dorp uit. Mijn eigen stappers staan nog in het hotel in San Pedro

Sula, vlak bij de deur, zodat ik ze niet zou vergeten. De plastic teenslippers worden door Eliezer en de andere drie gidsen resoluut afgewezen. "Daar kun je niet op lopen", menen ze. Nog wat onwennig met de buitenlandse toerist gaan ze voor over een licht stijgend pad, richting bos. Eliezer heeft de meeste ervaring als gids en hij overwint dan ook als eerste zijn schroom. "Zie je die top? Dat is de hoogste berg van de Cerro. En heb je de mangobomen al gezien?" Het uitzicht is prachtig, overal zijn bergen, die wazig afsteken tegen de blauwe hemel. Talloze bomen en planten omzomen ons pad, sommige geven een zoete geur af, vogels zingen en jawel, geritsel en krakende takken. "Snel, daar gaan ze, in die achterste bomen", wijst Natanael op een groepje dartelende apen. Behendig en onverstoorbaar slingeren

ze achter elkaar aan, intussen een nonchalante blik werpend op de wandelaar die een foto probeert te nemen. Geduldig wachten mijn begeleiders tot ik ben uitgekeken op de apen. Voor hen is het niets bijzonders. Na een uur wandelen bereiken we het einde van het pad. Verscholen in het groen stroomt een waterval naar beneden, op de plek waar zich in de rivier een natuurlijke zwempoel heeft gevormd. "Te koud om te zwemmen", oordeelt de groep. We klauteren over wat rotsen om plaats te nemen op een groot rotsblok in de rivier. Tijd om wat fruit te eten en in alle rust te genieten.

Lunch bij een familie in San José

Kip en yuca

Terug in San José wacht als afsluiting van het programma een lunch bij een familie thuis. Op het erf staat al een tafel klaar onder uitbundig bloeiende bomen. Binnen staat het eten te pruttelen in de kleioven en moeder en dochter bakken behendig dunne tortilla's. "In het dorp zijn meerdere families die hun huis openstellen als een *casa de huéspedes*, een gastenverblijf, waar toeristen kunnen eten en soms ook slapen", vertelt Conny Gómez, die de jongeren begeleidt. "Op die manier komt het toerisme ten goede aan de hele gemeenschap." We eten kip, yuca, bananen, rijst en sla. Intussen vertelt Conny over de verdere plannen. "De eerste folders met een pakket van activiteiten zijn al klaar. Nu willen we die in het Engels gaan vertalen en verspreiden bij reisbureaus in San Pedro Sula. Daarna gaan we kaarten maken en een cd-rom met de toeristische attracties. En kijken hoe we het hele pakket kunnen uitbreiden, bijvoorbeeld met een *noche típica* met dans en muziek uit de streek." De stemming zit er intussen goed in. De tocht met de toerist is immers goed verlopen. "Nu nog in het Engels", verzucht Eliezer.

Meer informatie: www.desatur.org

Ontwikkelingsorganisaties steunen lokaal toerisme

Zowel SNV Honduras, als de ontwikkelingsorganisatie Cordaid ondersteunen projecten op het gebied van gemeenschapstoerisme. SNV is actief in het project bij de Río Cangrejal en Cordaid bij het Lago de Yojoa. Beide werken samen met partnerorganisaties en hebben de bestrijding van armoede hoog in het vaandel staan. Door scholing en training willen de partnerorganisaties de lokale bevolking in staat stellen duurzame werkgelegenheid te scheppen en zo voldoende inkomsten te verwerven.

In een stalen mand boven de Río Cangrejal

Ze zien er prachtig uit, de houten *cabañas*, waar vier personen de nacht kunnen doorbrengen. Fris geverfd, kleurige kleedjes en op de veranda een hangmat. Zachtjes schommelend kijk je uit op beboste hellingen en hoor je het ruisen van de rivier beneden. In het dorpje Las Mangas heeft een groep bewoners zich georganiseerd om een toerismeproject op te zetten. In de *comedor*, het uit hout opgetrokken restaurant, vertelt Marisela dat ze nog maar ruim een jaar bezig zijn. "Nu is het erg rustig hier, het toeristenseizoen loopt van februari tot juni. Dan komen er Amerikanen, Canadezen en natuurlijk Hondurezen." Vanaf het eerste uur was Marisela betrokken bij de plannen om faciliteiten voor toerisme te ontwikkelen. "Met een groep dorpelingen vroegen we ons af hoe we meer inkomsten konden verwerven. Er wonen hier zo'n zestig families en in ons dorp is relatief weinig migratie. Om dat zo te houden moeten we meer werkgelegenheid scheppen." Maria Montes, die in de keuken de scepter zwaait, vertelt: "We kopen nu nog veel producten in La

Ceiba, maar we willen een keten opzetten voor de aanvoer van lokaal geproduceerd voedsel. We gebruiken al zelf verbouwde groenten, zoals pataste, ayote, camote, malanga en ñame. En natuurlijk ons eigen fruit. We hebben hier rambután, maracuya en mangosteen." Ook de koffie is niet te versmaden, proef ik.

Hefboom

Samen met Khamila Becerra van Rehdes, de organisatie die de dorpelingen ondersteunt, ben ik 's ochtends uit La Ceiba vetrokken. Vanuit de tropische stad aan de Caribische kust kijk je omhoog naar de Pico Bonito. Het gebied heeft de status van nationaal park en in de bufferzone aan deze kant van het park liggen de dorpjes Las Mangas, El Naranjo en El Pital. Een paar maal per dag brengt een bus je er over de onverharde weg naar toe. Na de koffie gaan we de natuur in, wandelen over de *sendero mapuche*, een rondlopend pad van drie kilometer lengte. De start is in El Naranjo, waar een spiksplinternieuw bezoekers- centrum staat. Samen met de gidsen Marcelo en Mario lopen we naar de rivier en ik vraag me af hoe we aan de overkant komen. Want daar zijn de beboste hellingen waar we heen willen. Bene- den stroomt de Cangrejal, die hier behoorlijk breed is, in snelle vaart over en langs rotsblokken. Dan zie ik een stalen mand, de *canasta*, die ons naar de overkant moet brengen. Hij bungelt

De canasta

De gidsen duwen de mand voo[r]

aan een dikke stalen kabel, die over de rivier is gespannen. Niet iets voor mensen met hoogtevrees. Met ons vieren nemen we plaats in de schommelende mand. De twee gidsen doen het zware werk. Met een soort hefboom duwen ze de mand langs de ijzeren kabel vooruit. Het gaat langzaam, waardoor we volop kunnen genieten van de spectaculaire tocht.

Extraatje

Aan de overkant staan we meteen tussen de bomen. "Het is hier bosque *húmedo tropical*", legt Marcelo uit. Tropisch vochtig bos dus en dat voel je. Het is op deze hoogte zo'n dertig graden en de vochtigheid bedraagt 90 procent. Toch doet het verrassend koel aan door de wind die op sommige stukken van het pad ineens opsteekt. Evengoed is het zweten geblazen, bergop, tussen een uitbundige vegetatie. En fauna niet te vergeten. Op deze toch niet echt lange wandeling kan ik een kleurige toekan noteren, een heuse slang en een paar apen met witte snuiten. En hoor ik talloze vogels, die zich tussen het gebladerte aan het oog onttrekken.

Dan stuiten we op de mannen die bezig zijn met het laatste stuk van het pad. Puur handwerk is het, met grote houwelen hakken ze letterlijk een pad uit. "Volgende keer kun je doorlopen", zegt Marcelo, "dan kom je ook bij de waterval". Nu kan ik hem alleen horen. Ons pad kun je ook zonder begeleiding lopen. Er is een markering aangebracht met rode en gele linten. "Maar een gids kan je van alles vertellen, dat heeft toch wel een meerwaarde", meent Mario. Nog één keertje in de mand en dan scheidt de Cangrejal ons weer van de bergen. Jammer dat er maar zo weinig mensen hierheen komen. Khamila erkent dat er nog veel te doen is aan marketing. Nu is informatie over het project alleen voorhanden bij

Río Cangrejal

Rehdes. In het Engelstalige blad *Honduras Tips* staat een korte verwijzing. Het lijkt mij het grootste obstakel bij de ontwikkeling van dit gemeenschapstoerisme, hoe trek je bezoekers? De dorpelingen beseffen dat zelf ook. Wellicht daarom dat ze in El Naranjo ook orchideeën kweken en houten nijverheidsproducten maken. In El Pital heeft een groep vrouwen zich toegelegd op het maken van fraai geborduurde lakens en gordijnen, die ze in binnen- en buitenland verkopen. Toerisme lijkt hier vooralsnog een extraatje, een heel mooi extraatje.

Meer informatie: www.guaruma.org

Don Domingo
Foto: Mirjam van den Berg

Reisinformatie

Adressen
Communicatie
Documenten
Douane
Elektriciteit
Eten en drinken
Feestdagen
Fooien
Fotograferen en filmen
Geld- en bankzaken
Gezondheid
Inkopen
Klimaat en kleding
Land en bevolking
Omgangsvormen
Openingstijden
Taal
Tijdsverschil
Veiligheid
Vervoer

Woordenlijst

Verdere informatie
Boeken
Websites

Adressen

Ambassade van Guatemala

In Nederland: Javastraat 44, 2585 AP Den Haag, tel 070-3020253.
In België: Winston Churchilllaan 185, 1180 Brussel, tel. 02-3459058.

Nederlandse ambassade in Guatemala

Edificio Torre Internacional, 16 Calle 0-55, Zona 10, Piso 13, Ciudad de
Guatemala, website: www.embajadadeholanda-gua.org

Ambassade van Honduras:

In Nederland: Burgemeester Patijnlaan 1932, 2585 CB, Den Haag, tel.
070-3641684.
In België: Galliërslaan 3, 1040 Brussel, tel. 02-7340000.

In Guatemala bevindt zich geen ambassade van België, in Honduras zijn
geen ambassades van Nederland en België. Er zijn in beide landen wel
Nederlandse en Belgische consulaten.
De adressen vind je op www.minbuza.nl
en www.diplomatie.be.

Communicatie

Bij het postkantoor, *correo* (G) en *correos* (H), kun je brieven en pakket-
ten versturen, postzegels *(estampillas)* kopen of je post laten afstem-
pelen. Iets aangetekend versturen heet *certificado*.
Binnenlands telefoneren is goedkoop, naar het buitenland variëren
de prijzen aanzienlijk. Voor telefoneren ga je naar Telgua (G) en naar
Hondutel (H). In cabines op straat zijn telefoonkaarten nodig, *tarjetas*.
Er zijn meerdere telefoonmaatschappijen met eigen kaarten. Diverse
internetcafés bieden lagere tarieven, tussen een halve en één dol-
lar per minuut. Voor bellen naar Nederland draai je eerst 0031, voor

België 0032, gevolgd door het nummer van stad en abonnee. Veruit de
goedkoopste manier van communicatie is per e-mail. In alle steden en
toeristische centra zijn internetcafés.

Documenten
Voor een bezoek aan Guatemala en Honduras heb je een paspoort
nodig dat na vertrek uit het betreffende land nog zes maanden geldig
is. Ingezetenen van de Europese Unie mogen drie maanden in deze
landen verblijven. Heb je een studentenkaart, neem die dan mee.
Bij musea e.d. krijg je korting op de entreeprijs.

Douane
Voor de drie landen gelden de gebruikelijke in- en uitvoerregels. Ten
strengste verboden is de uitvoer van archeologische voorwerpen. Het
bezit van drugs wordt zwaar bestraft. Voor internationale vluchten geldt
bij vertrek luchthavenbelasting die je contant moet betalen, in dollars
of in de nationale munt. Bij grensovergangen over land moet je één
of meer dollars betalen, zowel voor de *entrada* (binnenkomst) als de
salida (vertrek). Bij de grensovergang El Florido tussen Guatemala en
Honduras kun je een speciaal pasje krijgen, wanneer je alleen Copán
Ruinas wilt bezoeken.

Elektriciteit
De stroomspanning in beide landen bedraagt 110 Volt. Men gebruikt
platte tweepolige, zogenaamde Amerikaanse stekkers. Er zijn ver-
loopstekkers te koop, maar beter kun je een wereldstekker van huis
meenemen.

Eten en drinken

Maïs en bonen vormen van oudsher het basisvoedsel van de Maya's. Nog steeds horen *tortillas*, maïspannenkoekjes, bij iedere maaltijd. Een traditioneel ontbijt, *desayuno*, bestaat uit eieren, tortillas, bonen (*frijoles*) en wat verse kaas of room. Op het menu staat vaak *huevos al gusto*, eieren zoal je ze wilt. Je kunt kiezen uit *fritos*, gebakken, *revueltos*, roerei en *estrallados*, spiegelei. Een *desayuno continental* bestaat uit toast en jam en verder zijn er *panqueques*, Amerikaanse pannenkoekjes met maple, *cereales*, soorten cornflakes of andere granen, met yoghurt of melk. Koffie en vruchtensap zijn meestal bij het ontbijt inbegrepen.

De lunch, *almuerzo*, is de hoofdmaaltijd en veel restaurants bieden dan een goedkoop dagmenu aan, de *comida corrida* of de *plato del día*, die bestaat uit rijst of aardappels, vlees of kip en wat groenten of salade. Het diner, de *cena*, is in feite hetzelfde als de lunch. In kleine dorpjes sluiten de *comedores*, de eenvoudige eettentjes, vrij vroeg in de avond. De meer luxe eetgelegenheden heten *restaurantes*, waar doorgaans een uitgebreidere menukaart is. In grote steden en toeristenplaatsen zijn veel internationale restaurants. Van Mexicaans, Italiaans tot Chinees en Thais. Aan de Hondurese kust is volop vis (*pescado*) en schelpdieren (*mariscos*) te krijgen.

Fruit is in overvloed te krijgen, afhankelijk van de streek en het seizoen. Van veel soorten fruit wordt sap gemaakt, *jugo* of een *licuado*, aangelengd met water of melk. In Honduras heet deze milkshake een *batido*. Frisdranken, *refrescos*, *gaseosas* of *aguas*, zijn overal te koop, vooral Coca Cola en Pepsi Cola. Koop je frisdrank onderweg dan is die *para llevar*, om mee te nemen. De verkoper giet de inhoud van het flesje over in een plastic zakje met een rietje erin, *en bolsa*. Kraanwater kun je beter niet drinken. Overal is *agua pura* te koop, gewoon water. Wil je water met prik, vraag dan om *agua con gaz*. Tenslotte is bier, *cerveza*, overal te krijgen, zowel in flesjes als in blik (en *lata*).

Feestdagen

Beide landen kennen een indrukwekkend aantal feestdagen. Nationaal erkende feesten zijn Nieuwjaarsdag op 1 januari, Dag van de Amerika's op 14 april, Dag van de Arbeid op 1 mei, Onafhankelijkheidsdag op 15 september, Día de la Raza (Dag van Columbus) op 12 oktober, Dag van het Leger op 21 oktober en Kerstmis op 25 december. Daarnaast is Semana Santa, de week voor Pasen, voor Hondurezen de belangrijkste vakantieweek. Allerzielen op 1 november wordt vooral in Guatemala op bijzondere wijze gevierd. Daarnaast kent iedere plaats een feest ter ere van de lokale beschermheilige.

Kijk ook op *www.beleven.org/feest*

Fooien

Het geven van een fooi is heel gebruikelijk en vormt een belangrijk bestanddeel van het salaris van obers, gidsen en anderen in de dienstensector. In een eenvoudige *comedor* kun je volstaan met het bedrag naar boven af te ronden. In een luxer restaurant is een fooi van 10 procent van de rekening normaal, tenzij er duidelijk op de rekening *servicio incluído* staat. Maar ook dan is een klein bedrag welkom.

Fotograferen en filmen

Wees terughoudend met het fotograferen van mensen en vraag vanzelfsprekend altijd toestemming. Vooral de indiaanse bevolking in Guatemala stelt het niet op prijs gefotografeerd te worden. In kerken en andere rituele plaatsen wordt fotograferen niet getolereerd.

Geld- en bankzaken

De *quetzal* is de nationale munteenheid van Guatemala, onderverdeeld in 100 *centavos*. Koers: 1 euro = 11 quetzal. Honduras kent de

lempira. Koers: 1 euro = 27 lempira. (stand: oktober 2007; kijk voor actuele koersen op: *www.oanda.com/convert/cheatsheet*). Bij banken, wisselkantoren en grote hotels kun je Amerikaanse dollarbiljetten wisselen (euro's worden niet altijd geaccepteerd) of reischeques van American Express verzilveren. Biljetten dienen in ongeschonden staat te verkeren: het kleinste scheurtje leidt tot een weigering bij de bank. Banken zijn geopend van maandag t/m vrijdag van 9.00 tot 17.00 uur; vaak is er van 12.00 tot 13.00 uur middagpauze. Op zaterdag alleen in de ochtend geopend. In iedere grote plaats en toeristencentrum kun je geld pinnen bij een geldautomaat, een *cajero automático*. Bankpassen met een Visa-logo zijn veel couranter dan die met een Cirrus/Mastercard-logo. Het is verstandig bij daglicht en gedurende de openingstijden van de bank te pinnen. Automaten werken niet altijd. In beide landen zijn zwartwisselaars actief. Ze bieden nauwelijks een betere koers en de risico's zijn groot. Alleen bij grensovergangen zijn ze vaak de enige mogelijkheid om geld te wisselen. Beperk de transactie tot een klein bedrag. Zorg ervoor dat je klein geld op zak hebt. Taxichauffeurs, winkeliers en marktkooplui hebben meestal geen wisselgeld.

Gezondheid

Hoewel inentingen voor Guatemala en Honduras niet verplicht zijn, worden vaccinaties tegen DTP en Hepatitis A aangeraden. Daarnaast wordt aangeraden om in bepaalde gebieden anti-malariatabletten te slikken. Voor een advies op maat wordt aangeraden ten minste zes weken voor vertrek contact op te nemen met een Tropenadviescentrum, GGD, vestiging van de KeurCompany of ervaren huisarts. Voor actuele informatie verwijzen we naar *www.lcr.nl*, de website van het Landelijk Coördinatiecentrum Reizigersadvisering (LCR) die de richtlijnen uitgeeft voor vaccinaties en preventie van malaria. In België kun je vergelijkbare informatie krijgen bij het Instituut voor Tropische Geneeskunde in Antwerpen (*www.itg.be*).

In de laag geleden gebieden van Guatemala, zoals de regio rond Tikal en langs de kusten van beide landen zijn veel muggen en *jejenes*, een klein soort muggen. Ook al brengen ze niet allemaal malaria of dengue (knokkelkoorts) over, ze steken venijnig. Smeer je in met een anti-muggenmiddel dat DEET bevat. Wees in junglegebieden ook bedacht op slangen en schorpioenen. Draag er dichte schoenen en bedek je ledematen. In alle grotere plaatsen is een ziekenhuis of een particuliere kliniek, waar vaak een Engelssprekende arts aanwezig is. Bij apotheken (*farmacias*) zijn alle soorten medicijnen te vinden. In dorpen is meestal een *puesto de salud*, een gezondheidscentrum.
Kijk voor meer informatie op *www.gezondopreis.nl*.

Inkopen

In Guatemala-Stad en in San Pedro Sula en in mindere mate in Tegucical-pa zijn moderne *shopping malls* te vinden. Overal zijn *supermercados*, *minimercados*, *tiendas*, *pulperías* en *abarrotes* voor allerlei etenswaar en huishoudelijke producten. Hier gelden vaste prijzen. In kleinere plaatsen zijn veel winkeltjes die van alles en nog wat verkopen. Apothekers, *farmacias*, zijn werkelijk overal. Daarnaast zijn de vele markten een goede plek voor de aanschaf van fruit en allerhande hapjes. Souvenirs vind je op de speciale *mercados de artesanía*, markten voor kunstnij-verheid. Het is gebruikelijk om hier af te dingen, maar gun de makers een eerlijke prijs.

Klimaat en kleding

Het klimaat wordt vooral bepaald door de hoogte en de invloed van twee oceanen. Tot ongeveer 800 meter heerst er een heet en vochtig klimaat, met temperaturen boven de 25° Celsius, die tot 45° Celsius kunnen oplopen. Daarboven tot ongeveer 1600 meter is er een gema-tigd klimaat met temperaturen tussen de 16° en 25° Celsius en nog hoger begint het koele klimaat, waar het 's nachts kan afkoelen tot rond het vriespunt. Vooral in de laatste zone zijn de verschillen tussen dag- en nachttemperatuur groot.

Er zijn twee seizoenen: de winter, *invierno*, is de regentijd die loopt van mei tot oktober en de zomer, *verano*, is de droge tijd die loopt van november tot en met april. Bedenk dat ook in de zomer fikse regenbuien kunnen vallen en dat de winter lange droge periodes kent. In de tropische regen- en nevelwouden, bijvoorbeeld in de Petén, regent het zeker negen maanden per jaar veelvuldig. Aan de Caribische kust valt meer regen dan in het binnenland. Tussen augustus en november is de meeste kans op tropische stormen. De meeste toeristen komen in juli en augustus en rond Kerstmis en Pasen.

Je kunt het beste lichte, katoenen kleding meenemen, die ruim zit. Dit voorkomt irritatie ten gevolge van transpireren. Voor de avonden, zeker op hoogte, is een trui en een regenjack aan te raden. Vergeet niet een pet en zonnebril mee te nemen.

Land en bevolking

Guatemala, met een oppervlakte van 2,6 maal Nederland, telt ruim 12 miljoen inwoners, waarvan ongeveer de helft Maya is en de andere helft bestaat uit *ladinos* – mensen van gemengd Spaans-Indiaanse afkomst –, blanken en een klein percentage Garífuna's, die aan de Caribische kust wonen. Rond de dertig families hebben de economische en politieke macht in handen. Bijna 80 procent van de bevolking leeft onder de armoedegrens.

Honduras is drie maal zo groot als Nederland en heeft ruim 7 miljoen inwoners. Ongeveer 90 procent is ladino. De overige 10 procent bestaat uit blanken, diverse indiaanse groepen en Garífunas. Het is het armste land van Midden-Amerika, waar de overgrote meerderheid van de bevolking onder de armoedegrens leeft.

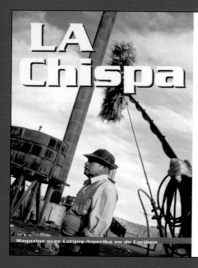

Veel mensen proberen een beter leven op te bouwen in de Verenigde Staten. Het geld dat deze migranten naar huis sturen, vormt voor Honduras de belangrijkste bron van inkomsten. Praktisch ieder Garífunagezin heeft familie in de VS. Ook Guatemala drijft voor een belangrijk deel op het geld van migranten. Dagelijks wagen mensen de gevaarlijke tocht naar het 'noorden', geholpen door *coyotes*, mensenhandelaars, die hen voor een fiks bedrag door Mexico en over de grensrivier met de VS loodsen. Een groot deel wordt opgepakt en teruggestuurd.

Omgangsvormen

De bevolking van Guatemala en Honduras hecht aan hoffelijkheid. Zeg nooit meteen wat je denkt, maar geef blijken van respect en vriendschap. Bij een eerste kennismaking geef je elkaar een hand, zowel vrouwen als mannen. Zoenen is niet gebruikelijk, tenzij je elkaar goed kent. Wees voorzichtig met politieke uitspraken en discussies. In Guatemala zijn veel mensen bang om over politiek te praten, gezien de repressie die nog altijd groot is. In Honduras praten mensen evenmin makkelijk over politieke zaken met vreemden. De indiaanse bevolking is bescheiden en stelt zich terughoudend op. Verder gebiedt de vriendelijkheid dat men je, desgevraagd, altijd de weg zal wijzen, ook als men die niet kent. Aan verschillende personen vragen kan dan ook geen kwaad. Het tijdsbegrip is anders dan bij ons. Vergaderingen, afspraken, festiviteiten: verwacht niet dat ze op het geplande tijdstip beginnen.

Zowel voor mannen als vrouwen geldt dat 'blote' kleding niet op prijs wordt gesteld, zeker niet in de indiaanse dorpen. In steden zul je merken dat een korte broek nogal uit de toon valt, ook voor mannen. De mensen hechten aan nette kleding en doen er alles aan er zo schoon en 'gekleed' mogelijk uit te zien. Alleen aan de Caribische kust van Honduras en Guatemala is het normaal om shorts te dragen. Kijk om je heen en pas je aan de bestaande normen aan. Ook als vrouw heb je dan geen last van ongewenste mannelijke blikken. Voor vrouwen gelden stilzwijgende gedragsregels: een decente vrouw verdient respect, d.w.z. een vrouw die netjes is gekleed, niet 's nachts alleen over straat gaat en geen mannencafés bezoekt, zoals *cantinas* en *billares*. Het machismo in deze landen is groot, evenals het gevoel voor hiërarchie.

Openingstijden

Postkantoren zijn open tot 18.00 uur. Overheidsinstellingen bezoek je het best in de ochtend. Er zijn geen officiële winkeltijden. De meeste winkels gaan rond 9.00 uur open en sluiten tussen 18.00 en 21.00 uur. Soms is er tussen de middag een siësta.

Veel musea zijn op maandag gesloten en op zondag is de entree gratis. Over het algemeen zijn ze tussen 9.00 en 17.00 uur geopend. Dit geldt ook voor de meeste archeologische complexen.

Taal

Spaans is in beide landen de officiële taal, al wijkt het af van het Spaans in Spanje. Zo worden de 'c' en 'z' als een gewone s-klank uitgesproken. In plaats van *vosotros* (jullie) zegt men *ustedes* (u). Onbekenden spreek je altijd aan met *usted* (u). Daarnaast worden er in Guatemala een groot aantal indiaanse talen gesproken, waarvan de belangrijkste het K'iché, Mam, Kaq'chiquel en K'eqchí zijn. In Honduras spreken de Garífunas aan de Caribische kust hun eigen taal en op de Baai-eilanden wordt Engels gesproken. In de toeristencentra kun je met Engels redelijk terecht. In beide landen is men dol op verkleinwoorden, door achter een woord de uitgang –ito te zetten. Veel plaatsnamen worden afgekort, wat op busstations tot verwarring kan leiden. In Guatemala zijn de meest voorkomende: Guate (Guatemala-Stad), Pana (Panajachel), Huehue (Huehuetenango), Chichi (Chichicastenango) en Xela (Quetzaltenango). Hondurezen hebben het over Tegus (Tegucigalpa).

Tijdsverschil

In Guatemala en Honduras is het zeven uur vroeger dan bij ons. In de zomertijd is dat acht uur.

Veiligheid

Gezien de armoede in beide landen en het toenemend toerisme is het niet verwonderlijk dat diefstal een lucratieve bezigheid is. Voorkom berovingen door je gezonde verstand te gebruiken. Bewaar geld en waardepapieren in een *moneybelt* onder je kleding of in zakken aan de binnenkant van je kleding. Draag je camera in een dagrugzakje voor op je borst, zeker op drukke plaatsen, zoals markten en busstations. Houd handbagage in een bus bij je en leg het niet in een bagagerek. Hoe zelfverzekerder je overkomt, hoe minder snel je het slachtoffer zult worden. Bedenk tenslotte dat de meerderheid van de bevolking niet steelt en het heel vervelend vindt als je iets overkomt.

Vooral in Guatemala neemt criminaliteit toe. Reis niet in het donker en ga niet alleen over straat. In toeristenoorden als het Meer van Atitlán en Antigua kun je niet buiten de dorpen en stad rondwandelen, tenzij met een lokale gids. In Honduras kun je in de streek rond Copán Ruinas redelijk veilig wandelen. Verder geldt in alle grote steden dat er wijken zijn die je in de avonduren beter kunt mijden. In ieder hotel zal men je daarover zelfs ongevraagd informeren. Maak voor de zekerheid scans van je belangrijke documenten en stuur deze naar je emailadres. Raadpleeg ook de actuele reisadviezen op: *www.minbuza.nl* (onder 'reizen en landen') en op *www.diplomatie.be*.

Vervoer

Het binnenlandse vervoer bij uitstek is de bus. Op de hoofdwegen rijden in beide landen luxe eersteklas bussen, *servicio Pullman* of *primera clase*. Verder ben je aangewezen op de oude Amerikaanse schoolbussen.

Ieder bankje is voor tenminste drie passagiers bedoeld, ook al vind je het vrij krap voor twee personen. Veel busritten worden opgeluisterd door verkopers van allerlei wondermiddeltjes of van het evangelie. Bij stops onderweg is de bus in een mum van tijd omsingeld door verkopers van frisdrank, fruit, allerlei hapjes en zelfs van zonnebrillen en dames-ondergoed. In de steden vertrekken bussen van diverse plaatsen. Tweede klas bussen vertrekken doorgaans van het busstation, de *terminal de autobuses*. De luxere bussen zijn eigendom van verschil-lende maatschappijen en hebben ieder hun eigen terminal. In steden rijden taxi's en *colectivos*, taxi's voor meerdere personen die een vastgestelde route rijden. In verschillende plaatsen hebben *tuktuks*, motortaxi's, hun intrede gedaan.

Voor grote afstanden kun je het vliegtuig nemen. In Guatemala zijn er vooral vluchten tussen de hoofdstad en Flores in de Petén (voor een bezoek aan Tikal) en in Honduras zijn er vluchten tussen de grote steden en met alle Baai-eilanden.

Samenstelling: Maja Haanskorf. Met dank aan Ramón Mendoza.
Kijk voor uitgebreide reisinformatie op *www.tegastin.nl*.

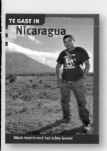

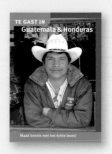

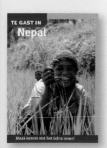

Woordenlijst

Hola, cómo está?
Hallo, hoe gaat het?

Mucho gusto, encantado/a
Aangenaam (bij voorstellen)

Con permiso
Staat u mij toe (veel gebruikte beleefdheidsfrase)

Que le vaya bien
Dag, het ga u goed

Hasta luego/adiós
Tot ziens/dag

Mande?
Wat zegt u?

Va pues, sí pues
Oké, afgesproken

Regálame
Geef me (roepen veel kinderen)

No me molesta
Val me niet lastig

Pagar en efectivo
Contant betalen

No hay cambio
Er is geen wisselgeld

Ahorita
Nu meteen (moet ruim worden opgevat)

Señor/señora
**Mijnheer/mevrouw
(vaak afgekort tot Seño/Seña)**

Campesino
**Bewoner van het platteland
(letterl. boer)**

Joven
**Woord om de kelner te roepen
(letterl. jongeman)**

Pisto, plata, lana
Geld

Mercado
Markt

Artesanía
Kunstnijverheid

Copal
Soort hars, wierook

Cuadra
Huizenblok, afstand tussen twee straten

Baño/servicio
Toilet

Guatemalteek(s) (Chapín)	Hondurees (Catracho)
Varón/hembra **Zoon/dochter**	*Cipote* **Kind**
Chulo **Lief, schattig**	*Checque* **Oké, goed**
Buena/mala onda **Aangenaam/onaangenaam iets of iemand**	*Macanudo* **Vet, leuk**
Chucho **Hond**	*Chepo* **Politie**
Fíjate /fíjase **Stel je voor** **(beginnen veel zinnen mee)**	*Birria* **Bier**
	Guaro **Sterke drank**
Traje **Indiaanse kleding, typisch voor een bepaalde regio**	*Mínimo* **Banaan**
Fresco **Frisdrank**	*Chutear* **Eten**
Chompipe **Kalkoen, de klos zijn**	*Chamba* **Werk**
Chupar **Alcohol drinken**	*Chante/chola* **Huis**

Samenstelling: Maja Haanskorf, met dank aan Ramón Mendoza.

Verdere informatie

Boeken

- *Guatemala KIT Landenreeks* – Lees Boon. Geeft goed beeld van geschiedenis, politiek, samenleving, cultuur, natuur en milieu.
- *Betoverde Stenen* – Rodrigo Rey Rosa. Rosa is de meest interessante hedendaagse auteur uit Guatemala.
- *Rigoberta Menchú* – Elizabeth Burgos. De levensgeschiedenis van deze Mayavrouw, die in 1992 de Nobelprijs voor de Vrede ontving, geeft tegelijk een beeld van de onderdrukking waaraan de Maya's blootstaan.
- *De dans van de trom, een Maya-Ritueel* – Ruud van Akkeren. Een historische roman over de Maya's en de Spanjaarden.
- *Van de Tijd en de Tropen* – Hannes Wallrafen. Fotoboek over Honduras met teksten van Julio Escoto en muziek van Guillermo Anderson.

Websites

- *www.noticias.nl* Informatie en nieuws over Latijns-Amerika met links naar andere relevante sites.
- *www.mayaweb.nl* Cultuur en geschiedenis van de oude en hedendaagse Maya's. Met reistips, landeninfo en diverse links over de cultuur van de Maya's.
- *www.guatebelga.be* Solidariteitsforum over Guatemala met laatste nieuws over de politieke en economische situatie.
- *www.guatemaya.nl* Actuele informatie over Guatemala en de Mayabevolking
- *www.quetzaltrekkers.com* Deze vrijwilligersorganisatie organiseert trektochten voor het goede doel.
- *www.hondurastips.honduras.com* Engelstalige site met toeristische informatie over Honduras.